Geneviève Guilbault

Catalogage avant publication de Bibliothèque et Archives nationales du Québec et Bibliothèque et Archives Canada

Guilbault, Geneviève, 1978-

#Nosrêveslesplusfous!

(Textos et cie; 2)
Pour les jeunes de 10 ans et plus.

ISBN 978-2-89746-039-6

I. Titre. II. Titre : Mot-clic Nosrêveslesplusfous!. III. Titre : Nos rêves les plus fous!

PS8613.U494N67 2017 jC843'.6 C2016-942513-4
PS9613.U494N67 2017

Auteure: Geneviève Guilbault
Illustrations de la couverture et des ouvertures de chapitres: Magalie Foutrier
Illustrations intérieures: Shutterstock
Graphisme: Julie Deschênes

Dépôt légal — Bibliothèque et Archives nationales du Québec, 1er trimestre 2017

ISBN 978-2-89746-039-6

Gouvernement du Québec — Programme de crédit d'impôt pour l'édition de livres — Gestion SODEC

Andara éditeur remercie la SODEC pour l'aide accordée à son programme éditorial.

Imprimé au Canada

Textos et Cie

NOS RÊVES LES PLUS FOUS !

À Jean-François,
Merci de m'aider à réaliser mes rêves.
Rien de tout cela ne serait
possible sans toi.
xxx

CHAPITRE 1

Réveil brutal

CHAPITRE 1

Tom : Morgane ? Es-tu là ?

Moi : Qu'est-ce que tu veux ?

Tom : Je sais qu'il est tard, mais je n'arrive pas à dormir.

Moi : Moi non plus. Je me demande bien pourquoi.

Tom : Je sens du sarcasme dans ton commentaire. Quelque chose te tracasse ?

Moi : Je sens de la stupidité dans ta question. Quelque chose ne tourne pas rond chez toi ?

Tom : Quoi ? Qu'est-ce que j'ai encore dit ? Qu'est-ce que j'ai encore fait ?

Moi : Tu veux une liste ? Pas de problème !

Moi : Premièrement, tu as renié ton meilleur ami. Tu ne lui parles plus. Tu ne le regardes plus. Tu ne réponds même pas à ses messages. (Ce. N'est. Pas. Normal !)

Moi : Deuxièmement, tu n'as même pas eu le courage de te présenter à notre activité de soutien l'autre jour. Il ne manque qu'une seule empreinte de main sur le mur du gymnase : la tienne ! (Maintenant, toute l'école sait que tu es homophobe !)

Moi : Troisièmement, tu ne m'envoies même plus d'articles pour le *No Name* ! Rien du tout ! *Niet !* Pas un seul résultat sportif ni même une petite annonce. (Pourquoi tu t'en prends à moi ? Je n'ai rien à voir avec tes histoires.)

Moi : C'était la version courte de ma liste. Veux-tu la version longue ? Ça va me faire plaisir de te rappeler à quel point tu es minable.

CHAPITRE 1

Tom : Bon, bon, bon ! As-tu fini de m'attaquer ? À t'entendre, on croirait que je suis le pire salaud de la terre.

Moi : Je n'ai pas écrit le mot « salaud ». Mais si tu le dis…

Tom : Et je ne suis pas homophobe !

Moi : Je te laisse quelques secondes pour aller voir sur Internet la définition du mot « homophobe ». À mon avis, il y a quelque chose que tu n'as pas compris.

Tom : Qu'est-ce que tu veux au juste, Morgane ? Qu'est-ce que tu attends de moi ? Tu veux que je pardonne à Eddy ? Tu veux que je fasse comme s'il ne m'avait pas menti pendant toutes ces années ?

Moi : Oui ! C'est exactement ce que je veux !

Tom : Dans tes rêves !

Moi : Dans ce cas, on n'a plus rien à se dire. *Laila Tov.*

Je n'attends pas la réponse de Thomas. Je suis trop furieuse. Mon téléphone rebondit sur mon matelas et je m'y laisse tomber comme un gros tas de spaghettis trop cuits. Une vraie pâte molle !

Je sais que je devrais faire attention, car Annabelle dort à côté de moi. Mais avec le temps, j'ai compris qu'une fois qu'elle a posé la tête sur l'oreiller, même un ouragan dans notre chambre ne l'empêcherait pas de dormir. J'étire le bras pour caresser Johnny Depp — mon furet a délaissé la chaleur du lit d'Annabelle pour se blottir au creux de mon cou — et je soupire un bon coup.

La vérité, c'est que la réaction de Thomas me déstabilise complètement. Je savais qu'il était borné, mais je ne pensais pas qu'il irait jusqu'à couper les ponts avec son meilleur ami pour un truc aussi insignifiant. Bon, Eddy est gai, et alors ? Qu'est-ce que ça change ? Ça n'empêche pas Thomas de vivre sa vie !

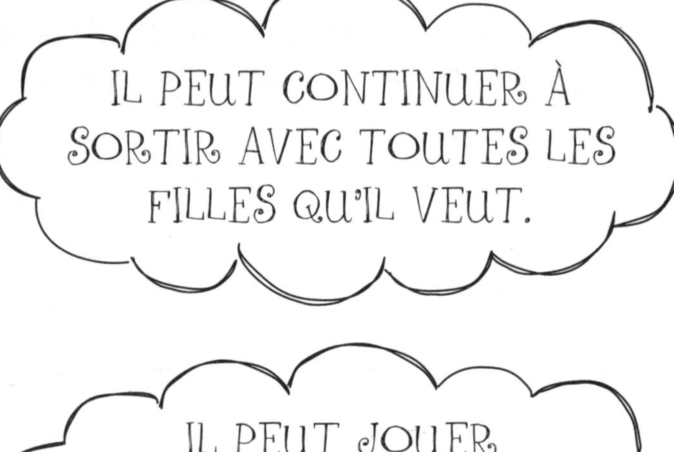

Exactement ! Chacun est libre de faire ce qui lui plaît !

Non mais, c'est vrai, on n'est plus des enfants ! Nos parents ne nous suivent plus à la trace pour nous dicter notre conduite. « Sois poli. » « Sois gentil. » « Excuse-toi. » « Enlève ton doigt de ton nez. » À notre âge, on prend nos propres décisions et on accepte les conséquences qui en découlent. C'est comme ça. C'est un passage obligé de l'adolescence au monde adulte, comme dirait ma mère. Alors, si Thomas choisit de renier son meilleur ami pour une raison aussi débile que son orientation sexuelle, je ne vais pas l'en empêcher. Qu'il en assume les conséquences! Seulement, il ne doit pas s'attendre à ce que je le félicite en lui donnant une tape dans le dos ou que je prenne son parti. Ça crée une ambiance pourrie, mais au moins Eddy et Roméo savent que je suis derrière eux.

Fière de mes convictions et de ma loyauté envers mes amis, je me roule en boule dans mon lit dans l'espoir d'être enveloppée par les bras de Morphée. Mais je ne suis pas comme Anna: je suis incapable de m'endormir en posant la tête sur l'oreiller. C'est à cause de mon cerveau, cet organe hyperactif qui ne m'accorde pas un moment de répit tant qu'il n'est pas complètement épuisé. Il y a des jours où j'ai l'impression qu'un hamster s'amuse à faire tourner une petite roue dans ma tête sans jamais s'arrêter. Il est en forme, c'est fou! Ça se bouscule, là-dedans! Un coup de génie pour le journal par-ci, une idée pour mon projet de sciences par-là. Une pensée pour ma mère qui s'ennuie depuis que je n'habite plus avec elle, une pensée pour Louba et Yanie qui veulent tous les détails de ma nouvelle vie…

Soudain, une grande boule de chaleur me traverse la poitrine et me fait réaliser que j'ai négligé ces personnes si importantes dans ma vie, ces derniers jours. J'étais tellement préoccupée par l'histoire de Thomas et d'Eddy que je ne leur ai presque pas écrit depuis ma fête d'anniversaire. Je dois faire un effort. Je suis incapable d'être partout à la fois, mais je peux facilement améliorer ma présence virtuelle. Et je pourrais même commencer maintenant, tiens !

Oups ! En allumant mon cell, je réalise qu'il est vraiment trop tard pour texter qui que ce soit. Minuit quinze. Bout de luzerne ! J'en connais une qui va avoir des poches sous les yeux demain matin (en l'occurrence, moi !). Je laisse tomber l'idée d'écrire à mes amies — et à ma mère, évidemment ! Je tiens à ce que ma tête reste accrochée à mon cou le plus longtemps possible — et je relis mon dernier échange avec Thomas. Je croyais qu'il allait me répondre, mais il n'a rien ajouté. Mon message était clair : « Dans ce cas, on n'a plus rien à se dire. *Laila Tov.* »

Un long soupir s'échappe de ma poitrine. J'aurais aimé qu'il argumente. J'aurais aimé qu'il se batte pour que j'accepte de prolonger la conversation. C'est ce qu'il fait, d'habitude.

Il insiste. Il cherche à me faire réagir. Il me provoque et je finis par répliquer. C'est comme ça, entre nous. Je croyais que ce petit jeu m'exaspérait, que l'immaturité de Thomas m'énervait au plus haut point, mais là, en ce moment précis, je comprends que je ne suis pas beaucoup plus mature que lui. Nos échanges houleux vont me manquer s'il ne me répond pas très bientôt.

Les yeux rivés sur le plafond sombre de ma chambre, j'essaie de penser à autre chose. Je pourrais compter les moutons, mais, dans mon cas, ce n'est pas très efficace. Je finis toujours par entrer en grande discussion avec le berger afin de savoir s'il traite ses animaux de façon responsable, ce qui ne m'aide pas du tout à m'endormir. Le mieux, ce serait de trouver un truc qui embrouille le cerveau. Je fouille au fond de ma mémoire et je retrace les paroles d'une comptine que ma mère me chantait quand j'étais petite. Ça devrait faire le travail.

« Dix petits oiseaux, à la file sur un fil, écoutaient tranquilles tous les bruits de la ville. Un oiseau partit pour aller faire son nid. Combien de petits oiseaux, à la file, reste-t-il sur le fil ? Neuf ! Neuf petits oiseaux, à la file sur un fil, écoutaient tranquilles… »

CHAPITRE 1

Je ne suis pas certaine, mais je crois m'être endormie entre le départ du troisième et du deuxième petit oiseau.

— Morgane ?

Ne me dérangez pas. Je vole. Mon avion vient de décoller et c'est comme si je frôlais les nuages du bout des doigts. Quelques rayons de soleil percent ici et là, réchauffant mon visage et illuminant le ciel. Le pilote contrôle son engin d'une main de maître. Bientôt, le sol ne sera plus qu'un souvenir, un petit point au milieu d'un océan de bonheur.

— Morgane. Réveille-toi.

Quelqu'un me pousse l'épaule. Doucement, délicatement. Je choisis d'ignorer cette personne qui essaie de me ramener sur terre. Je veux monter encore plus haut, encore plus loin. Mais la main insiste et me secoue de plus belle.

— Tu vas être en retard !

En retard ? Non. Personne ne m'attend. Alors que j'inspire profondément pour remplir mes poumons d'un air vivifiant, je sens qu'on me pousse vers l'avant. J'essaie de me retenir : je m'accroche de toutes mes forces, mais mon corps plonge dans le vide malgré moi. Mon cœur cesse de battre un moment.

— Ahhhh !

C'est la chute libre. Dans un instant, mes os vont se briser au sol dans un craquement sinistre et fatal. Ma vie ne tient plus qu'à un fil. Je vais mourir sans avoir eu le temps de dire au revoir aux gens que j'aime.

Une fraction de seconde… C'est tout ce qu'il me faut pour m'écraser sur le plancher de ma chambre, ouvrir les yeux et comprendre que je suis tombée en bas de mon lit. Je suis encore en vie et en un seul morceau. Bout de luzerne ! C'est tout un réveil ! J'ai l'impression que mon cœur est resté accroché aux nuages !

— Te voilà enfin parmi nous, me dit Annabelle, le visage moqueur, tandis que j'ouvre les yeux de peine et de misère. Dépêche-toi, ajoute-t-elle en me tendant une main pour m'aider à me relever. Tu sais que monsieur Falardeau n'aime pas qu'on arrive en retard à son cours.

J'accepte la main de mon amie et je bondis sur mes pieds, à peine remise de mes émotions. Il me faut un moment pour écarter tout danger de mon esprit. Je suis dans ma chambre. Je ne suis pas morte. Tout va bien. La journée vient de commencer. Je dois me grouiller.

CHAPITRE 1

— À quelle heure t'es-tu couchée? me demande ma coloc, en remplissant mon sac à dos de livres et de cartables. Onze heures? Minuit?

— Je me suis endormie tard, c'est tout ce que je sais, lui dis-je, en passant une main sur mon visage fripé. Est-ce que j'ai le temps de prendre une douche?

— Non. La cloche sonne dans dix minutes.

Voilà de quelle façon commencent la plupart de mes journées. D'un côté: Annabelle, qui a eu tout le temps de se préparer, fraîche comme une rose parce qu'elle a eu le bon sens de se coucher à une heure raisonnable. De l'autre: moi, la paresseuse du matin, qui n'arrive pas à s'habituer à l'horaire contraignant imposé par le système scolaire. Je le dis depuis longtemps et je le redis encore: il y aurait beaucoup moins de décrochage si les cours commençaient après dix heures. Il n'y a rien de mieux qu'un cerveau bien reposé pour assimiler le tas d'informations que les enseignants nous balancent dans une journée.

Bon. Je n'ai pas le choix. Je dois me grouiller. Annabelle a raison, je ne veux surtout pas faire attendre monsieur Falardeau, alias monsieur Coincé. Disons qu'il n'est pas le plus conciliant des profs. La semaine dernière, il m'a demandé d'aller à l'avant de la classe afin de justifier mon retard. Si j'avais eu plus de cran, je lui aurais expliqué qu'entre ses formules mathématiques et le confort de mes draps, le choix était simple. Mais je suis beaucoup trop polie et beaucoup trop respectueuse pour faire un tel affront à mon prof. Je me suis contentée de m'excuser et de lui promettre que la situation ne se reproduirait pas, m'évitant ainsi une retenue à la fin de la journée.

Je m'enferme dans la salle de bain, me passe un peu d'eau sur le visage et enroule un foulard autour de mes cheveux. J'enfile le premier t-shirt que je trouve dans ma commode, je me glisse dans mes leggings rose bonbon et j'attrape mes sandales au passage. Ça y est, je suis prête !

— Tu ne manges rien ? demande Annabelle, qui m'attend le dos appuyé sur le montant de la porte de notre chambre.

Je fais demi-tour en soupirant, fouille dans une boîte de barres de céréales et en glisse une dans ma poche. Puis, je souris à mon amie, l'air de dire : « Tu es contente ? » et je la suis dans le corridor.

— Ça ne t'épuise pas, des matins comme ça ? me demande Anna, en se dirigeant vers l'escalier qui nous permet de descendre au rez-de-chaussée.

CHAPITRE 1

— Ce qui m'épuise, c'est de me lever à six heures du matin, lui dis-je, la voix rauque. Plus je dors, mieux je me porte.

— Je ne me lève pas à six heures, précise-t-elle, un large sourire sur son visage beaucoup trop lumineux. Mon réveil sonne à sept heures et j'ai amplement le temps de me préparer. Tu devrais essayer, tu serais moins à la course. Et tu aurais meilleure haleine, ajoute-t-elle en glissant une gomme à la menthe au creux de ma main.

J'accepte le commentaire et lance la gomme dans ma bouche. Anna a raison. Je pourrais faire un effort. Mais pour cela, il faudrait que je me couche un peu moins tard, ce qui ne fait pas partie de mon empreinte génétique. Je suis faite comme ça. Je n'y peux rien. Et c'est pire depuis que je fréquente cette école. Avant, j'avais ma mère pour me surveiller et frapper à la porte de ma chambre quand elle trouvait que j'exagérais. Ici, je suis laissée à moi-même. Thomas et moi, on a l'habitude de se texter jusqu'aux petites heures du matin.

Enfin… On avait l'habitude avant qu'il fasse preuve d'une imbécillité profonde. Je me demande comment je vais occuper mes soirées, maintenant…

CHAPITRE 2

SPM sans OGM

CHAPITRE 2

Maman : Allô, ma colombe ! Qu'est-ce que tu fais ?

Moi : Je poireaute dans la salle de repos. J'attends Anna.

Maman : Comment était ta journée ?

Moi : Bof !

Maman : Mais encore ?

Moi : Pas grand-chose à dire. Je suis allée à mes cours, j'ai fait mes devoirs, j'ai étudié pour mon examen de sciences, j'ai nettoyé la litière de Johnny Depp et je vais bientôt aller souper. Tu vois ? Que des trucs palpitants !

Maman : Les joies du secondaire, ma chère ! 😉 Et le journal étudiant, ça va toujours bien ?

Moi : Oui, oui. Je planche sur le prochain numéro.

Maman : De quoi ça va parler ?

C'est moi ou notre conversation est d'un ennui mortel ? J'ai toujours plein d'anecdotes à raconter à ma mère, d'habitude. Qu'est-ce qui se passe ? Depuis quand ma vie est-elle devenue si déprimante ?

Moi : Je ne sais pas. J'hésite entre un article qui dénonce le trafic de drogue entre les membres du personnel de l'école ou une entrevue qui met en lumière la relation secrète entre le prof de français et la secrétaire du premier cycle.

Maman : C'est une blague ?

Moi : Les élèves ont le droit de savoir ce qui se trame dans leur école, tu ne penses pas ?

Maman ne répond pas. Elle est sûrement en train de se demander si je suis tombée sur la tête. Comme je n'ai pas envie de l'inquiéter inutilement, j'écris à la hâte :

CHAPITRE 2

Moi : Laisse tomber. Je ne suis pas drôle aujourd'hui. Et toi, ta journée ?

Je passe les minutes suivantes à lire les détails palpitants — tellement pas ! — de la journée de travail de ma mère. Je lui réponds par des phrases brèves et polies comme « Super », « Contente pour toi », « Eh bien », « Tout à fait d'accord », et on finit par se souhaiter une bonne soirée. On aura tout le temps de se parler en fin de semaine. Et je serai peut-être de meilleure humeur.

Qu'est-ce qu'elle fait, Anna ? Elle avait promis de me rejoindre ici ! Si au moins j'avais quelque chose d'intéressant à faire pour m'aider à patienter, mais non, la salle de repos est d'une platitude déconcertante. Match de tennis à la télé, partie d'échecs à ma droite, des cris par-ci, des rires par-là. Greg joue aux cartes avec un gars que je ne connais pas, Justin et Rosalie s'embrassent à pleine bouche au fond de la salle (pour faire changement), et quelques filles regardent des vidéos sur YouTube.

J'en ai assez. J'envoie un message à Anna.

Moi : Qu'est-ce que tu fais ?

Anna : Je finis mon devoir d'anglais.

Moi : Ça fait une éternité que je t'attends. Arrive !

Anna : J'ai presque terminé. Une petite page de rien et j'ai fini.

Moi : La cafétéria va fermer si on ne va pas bientôt manger.

Anna : Mais non, voyons. Il est encore tôt, on a tout notre temps.

Moi : Je n'ai pas juste ça à faire, t'attendre, tu sauras ! Je suis en train de m'enraciner. Des feuilles vont me pousser dans les oreilles si ça continue ! Et dans le nez. Et même dans des endroits que je ne veux pas nommer ! Tu ne veux pas avoir ça sur la conscience, hein ?

Anna : Voyons, qu'est-ce qui te prend, Morgane ?

CHAPITRE 2

Eddy : Ouin ! *What's wrong, Morgane ?* As-tu mangé du chien enragé ?

Je lève les yeux au ciel. Il ne manquait plus que ça ! Au lieu de texter Annabelle en privé, j'ai sélectionné notre groupe, ce qui veut dire qu'Eddy peut se mêler de notre conversation.

Moi : Non. Je n'ai rien mangé, justement ! Ma coloc préfère me faire attendre ! Je te le dis, elle joue avec mes nerfs !

Anna : Hé ! Je n'ai rien fait, moi ! Du calme !

Roméo : SPM ou quoi ?

Quoi ? C'est Roméo qui vient de m'insulter ? Mais qu'est-ce qu'il fait là, lui ?

Moi : Qu'est-ce que tu fais là, toi ?

Roméo : Eddy m'a ajouté à votre groupe. ☺

Eddy : *Yes !* Ça manquait de beaux gars, par ici. ☺

Anna : Approuvé ! Je n'irais pas jusqu'à dire que Roméo est beau, mais il a son genre. Pas vrai, Mo ?

Moi : Non.

Eddy : Comment ça, non ? Tu le voyais dans ta soupe il n'y a pas si longtemps !

Roméo : Tu m'as même embrassé ! Tu dois sûrement me trouver un peu *cute*.

Moi : Non… Je veux dire, oui, tu es *cute*. Mais je ne pense pas que ce soit une bonne idée que tu fasses partie de notre groupe.

Eddy : *Why not ?*

Moi : Parce que. C'est tout.

Anna : Ce n'est pas une réponse, ça, Morgane. Développe un peu.

Moi : Pourquoi j'aurais besoin de me justifier ? Je ne veux pas, ce n'est pourtant pas compliqué !

Roméo est bien drôle et bien gentil, mais il ne fait pas partie de la gang. Il ne peut pas arriver comme ça du jour au lendemain et se mêler de nos discussions. Point final ! Je crois que j'ai cloué le bec à Anna et à Roméo, parce qu'ils ne répondent rien. Quant à Eddy, il ne me laisse pas m'en sortir si facilement.

Eddy : OK. *Roméo was right !* Elle est dans son SPM ! 😄

Moi : Wow ! Tu te trouves drôle, en plus ? Tu crois qu'une fille qui est de mauvaise humeur souffre nécessairement du SPM ? C'est tellement dénigrant, comme façon de penser !

Eddy : *Grow up, Mo ! It's just a joke !*

Moi : Il y a des millions de choses susceptibles de me contrarier dans ce monde de fou, tu sauras !

Eddy : Comme manger du chien enragé ?

Roméo : Du chien sans OGM ! Morgane fait attention à son alimentation, ne l'oublie pas.

Anna : Euh... Est-ce que je peux intervenir ?

Moi : Quoi ?

Anna : Eh bien, en fait, si ma mémoire est bonne, tu vas avoir tes règles demain ou après-demain. Les gars ont raison. Tu es bel et bien dans ton SPM.

Moi : Eille ! Tu gardes ça en note dans ton agenda ou quoi ?

Moi : Où est passée ta solidarité féminine ?

Moi : Tu l'as vendue au premier venu ?

CHAPITRE 2

Moi : Elle s'est envolée en même temps que ton gros bon sens ?

Roméo : Ça fait partie de la vie, ces affaires-là, Morgane. Tu n'es pas la seule à passer par là.

Moi : Puisque je vous dis que je ne suis pas dans mon SPM. Allez-vous me lâcher ?

Anna : OK. Si ce n'est pas ça, alors, c'est quoi, le problème ?

Eddy : Moi, je dis que c'est Thomas.

Moi : Thomas ? C'est quoi le rapport avec Thomas ?

Eddy : Tu as de la peine parce qu'il nous a laissé tomber.

Moi : Je n'ai pas de peine ! Je suis fâchée. Grosse différence !

Eddy: *Right!* Tu es fâchée. Et si ça se trouve, Thomas est en train de lire tout ce qu'on écrit. C'est pour ça que tu ne veux pas que Roméo soit là. Tu as peur qu'il quitte la conversation et qu'on perde ce lien qu'on avait avec lui.

Moi: Je te l'ai déjà dit: je n'ai pas peur. Tu ne sais pas lire ou quoi?

Moi: Et si Thomas ne peut pas sentir Roméo, c'est son problème, pas le mien.

Moi: Il peut quitter la conversation n'importe quand. Je m'en fiche!

Eddy: C'est exactement ce que je me disais. *Thanks*, Morgane.

Eddy: Roméo, tu peux rester!

Roméo: Parfait!

Anna: Génial!

Bye!

CHAPITRE 2

Je viens de me faire avoir comme une gamine de trois ans. Fâchée contre moi-même, je ferme les yeux pour mieux réfléchir. Malgré le bruit qui m'entoure — des rires, des cris, de la musique qui joue à travers l'analyse des commentateurs sportifs du tournoi de tennis —, j'arrive à m'imaginer Thomas, dans sa chambre, seul devant l'écran de son cellulaire. Évidemment, il a suivi notre conversation depuis le début.

Comme je ne suis pas médium, je n'ai aucune idée de ce qui lui passe par la tête. Est-ce qu'il se fiche de nous ? Est-ce qu'il est en colère ? Est-ce qu'il regrette sa réaction ? Une partie de moi lui en veut encore terriblement (il a quand même renié son meilleur ami) et une autre, bien plus conciliante, me pousse à lui pardonner son imbécillité. Mais pas tout de suite. Il est trop tôt.

Consciente que j'accorde beaucoup trop de place à Thomas dans mes pensées, je secoue la tête et j'étire le bras pour ramasser un exemplaire du *No Name* sur la table à côté de moi. Il s'agit du dernier numéro, celui qu'on a nommé « Go, Cougars, go ! ».

Si je voulais me sortir Thomas de la tête, c'est raté. Sa face est en page couverture ! Quand il m'a proposé de publier un numéro spécial sur le football, il y a deux semaines, je n'ai pas trop compris sa motivation. Thomas joue au hockey, pas au football. Mais ce que j'ai appris par la suite — même si on ne se parle plus vraiment —, c'est qu'il a supplié l'entraîneur de l'accepter au sein de l'équipe de notre école. Il a été convoqué en entrevue, il a passé deux ou trois tests, et hop ! il a été accepté. Il ne pourra pas jouer beaucoup de parties cette année, puisque la saison est déjà bien entamée, mais d'après ce qu'on raconte, il risque d'être l'un des meilleurs joueurs l'année prochaine. Ça ne m'étonne pas. Thomas est fort. Il est rapide et il est très musclé. Mais le hockey lui demande déjà pas mal de son temps, alors je ne vois pas comment il pourra concilier ces deux sports.

Mes yeux se posent sur la couverture du *No Name*. Elle est très réussie. C'est un gros plan de Thomas, flanqué de William, de Félix et de Benjamin, les trois meilleurs joueurs de la formation. Ils se tiennent par les épaules et sourient au photographe. Derrière eux, on aperçoit le terrain et une partie des estrades. Je parie que les coéquipiers de Thomas ne se doutaient pas qu'ils deviendraient automatiquement les gars les plus populaires de l'école en faisant la une.

Les sports

PRÉSENTÉS PAR **THOMAS**

Vous les avez sûrement déjà vus sur le grand terrain gazonné. Ils sont grands. Ils sont forts. Ils s'entraînent avec courage, persévérance et détermination. Qui sont-ils? Les Cougars! L'automne dernier, ils ont remporté le Bol d'Or, la récompense la plus prestigieuse du football scolaire. Sauront-ils répéter cet exploit cette année? Comment se préparent-ils? De quelle façon s'entraînent-ils? Que mangent-ils? Vous saurez tout sur les moindres habitudes de ces dieux du stade! Mais avant, mesdemoiselles, je vous propose un petit test qui vous permettra de savoir si, oui ou non, vous êtes faites pour sortir avec un joueur de football.

Amusez-vous bien!

Test

MÉGA GROUPIE ou juste amie ?

Le football, ça te dit quelque chose ?

A) Oh oui ! Je connais toutes les règles par cœur.

B) Le sport me laisse un peu indifférente, mais les joueurs, c'est une autre histoire.

C) C'est tellement violent, que je ne comprends pas que ce soit encore légal.

D) Tassez-vous ! Je veux jouer, moi aussi !

Es-tu le genre de fille à t'engager au sein d'une équipe ?

A) Pourquoi ? Vous avez besoin d'aide ? Je peux arbitrer une partie sans problème !

B) Je me porte volontaire pour m'occuper des bouteilles d'eau. C'est tout.

C) Pas question de m'engager. J'ai autre chose à faire.

D) Tassez-vous ! Je veux jouer, moi aussi !

Comment te comportes-tu dans les estrades ?

A) J'apporte une crécelle et une flûte, et je chante des tas de chansons pour encourager mon équipe.

B) J'ai les yeux rivés sur mon cell. C'est tellement ennuyant, le football !

C) Il faudrait qu'on me paie pour assister à une partie.

D) Tassez-vous ! Je veux jouer, moi aussi !

Les joueurs aiment bien qu'on les encourage. Souhaiterais-tu faire partie d'un club de *cheerleading* ?

A) Oh ! Quelle bonne idée ! Je cours tout de suite en parler aux entraîneurs.

B) Ça ne va pas ? Vous voulez que je me casse le cou ou quoi ?

C) Trop fatigant.

D) Tassez-vous ! Je veux jouer, moi aussi !

....

Tu as répondu une majorité de A ?

Ton enthousiasme n'a aucune limite. Tu es faite pour sortir avec un joueur de football. Viens assister à nos parties et, qui sait, un beau joueur glissera peut-être son numéro de téléphone au fond de ta poche.

Tu as répondu une majorité de B?

Vous feriez mieux de rester des amis. Peut-être qu'en faisant un effort, ça pourrait fonctionner, mais ne te fais pas trop d'illusions.

Tu as répondu une majorité de C?

Ta relation avec un joueur de football est vouée à l'échec. Tourne-toi plutôt vers le club de natation, la troupe de théâtre ou le local des arts. Bonne chance!

Tu as répondu une majorité de D?

Le football est fait pour toi. Enfile un casque, des épaulettes et une bonne paire d'espadrilles, et saute sur le terrain!

....

Je vous invite maintenant à lire l'article qui suit pour en savoir un peu plus sur les joueurs qui composent l'équipe, l'horaire des parties à venir et le meilleur moyen de venir encourager les Cougars. N'hésitez pas à découvrir la liste de lectures sportives proposée par Eddy et les conseils d'Anna pour devenir la plus stylisée des supporters.

C'est un rendez-vous!

CHAPITRE 2

Je lance le *No Name* sur la table : je suis de mauvaise humeur. Un article sur le football et un test aussi insignifiant ne m'aideront pas à retrouver le sourire, loin de là. Tant pis, je me lève ! Je vais manger sans Annabelle. Elle n'avait qu'à se grouiller.

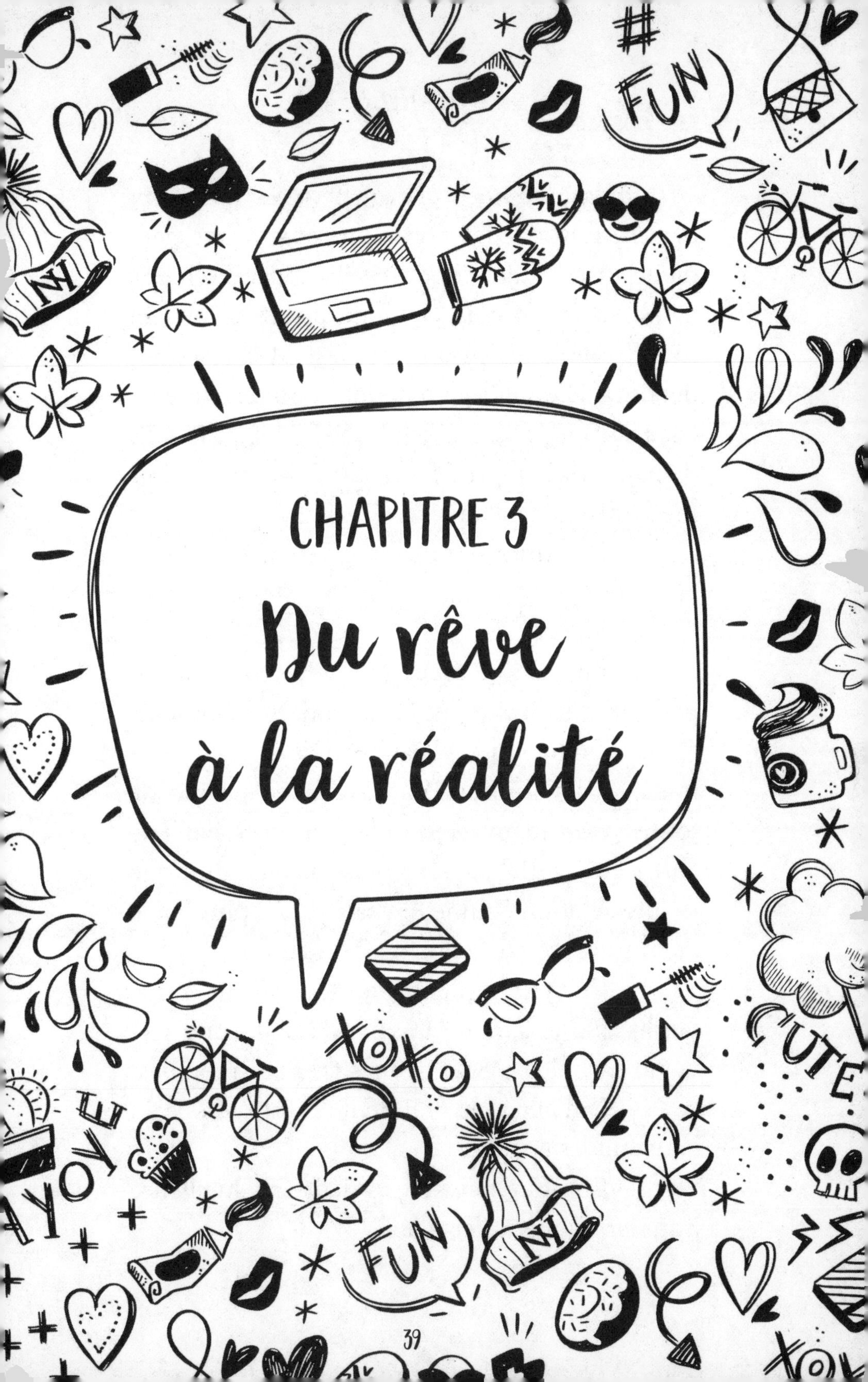

CHAPITRE 3

Du rêve à la réalité

CHAPITRE 3

Ça me coûte de l'avouer, mais mes amis avaient raison. Mes règles ont commencé pendant la nuit. Elles sont arrivées sournoisement, alors que je dormais, et en ont profité pour salir mon pantalon de pyjama préféré. Me voilà donc debout à l'heure des poules en train de frotter le tissu sous le jet d'eau froide de l'évier de la salle de bain avec, en prime, un mal de ventre dont je me serais bien passée.

— J'ai du savon à linge dans la petite armoire, me crie Anna, de l'autre côté de la porte.

— Merci !

Je finis de nettoyer mon pyjama, l'étends pour le faire sécher, et je saute dans la douche. Comme d'habitude, l'eau m'aide à me sentir mieux. J'ai l'impression qu'elle me purifie de toutes mes mauvaises ondes et me vivifie le corps et l'esprit. Je n'irais pas jusqu'à dire que je suis de bonne humeur, mais je n'ai plus envie de mordre, ce qui est un progrès en soi.

— Tu t'es vraiment levée tôt ! me dit Anna, tandis que je sors de la salle de bain, une serviette enroulée autour de mes cheveux mouillés.

— Je n'ai pas eu vraiment le choix, dis-je en haussant les épaules.

— En tout cas, tu as l'air de meilleure humeur qu'hier. C'est cool.

Elle me fait un clin d'œil et je penche la tête sur le côté pour démêler ma longue tignasse. Je marmonne, le visage crispé par l'effort :

— Oui, désolée pour ça. Je ne sais pas ce qui m'a pris.

Anna me dit que tout est OK et s'assoit sur une chaise pour enfiler ses bottillons. Johnny Depp en profite pour quémander une caresse. Il grimpe sur les cuisses de mon amie, longe son bras et vient frotter son petit museau dans le creux de son cou, comme il aime tant le faire. Anna promène une main sur son pelage noir et se met à glousser.

— Quoi ? Qu'est-ce qu'il y a ? dis-je, étonnée d'entendre un tel rire sortir de sa bouche.

Anna ne me répond pas tout de suite. Elle ferme les yeux et son visage se teinte aussitôt de rouge. Je dépose ma brosse à cheveux sur ma commode et m'assois sur mon lit, insistante.

— Explique ! Qu'est-ce qu'il y a de si drôle ?

— Rien, articule-t-elle, une main devant la bouche, comme si elle essayait de retenir ses mots. C'est juste que… Ben… Tu sais… Ah ! Et puis, je me lance ! Est-ce que ça t'arrive de faire des rêves ?

— Comme tout le monde, dis-je, sans trop comprendre où elle veut en venir.

— Oui, moi aussi, ajoute-t-elle en rougissant de plus belle. Parfois, je rêve que je suis à l'école ou que je chante sur scène. Mais d'autres fois — et c'est là que ça devient gênant —, je rêve que je suis avec un gars.

Annabelle arrête de parler et se tourne vers moi pour jauger ma réaction : et là, je comprends. Ah ! OK ! Elle parle de ces rêves-là ! Ceux qui font apparaître une douce chaleur dans notre cœur et notre corps. On rêve bien tranquille et tout à coup, hop ! un beau jeune homme apparaît et chamboule toute l'histoire. Ça ne m'est pas arrivé souvent, mais chaque fois j'ai trouvé ça assez troublant.

— Je suis curieuse ! dis-je, un sourire au coin des lèvres. C'était qui ? Greg ?

— Non… c'est ça le pire, me confie Annabelle en se mordant la lèvre du bas. Promets que tu ne le diras à personne.

— À qui veux-tu que je raconte ça ?

Mon amie hausse les épaules.

— Je ne sais pas. Mais promets-moi !

— C'est promis !

Le regard d'Anna quitte mes yeux et se porte sur mon poing levé dans sa direction. Oups ! Je n'avais même pas réalisé que je faisais semblant de tenir un micro. C'est un réflexe plus qu'autre chose.

— Hé ! Tu ne vas pas mettre ça dans le journal, hein ? demande-t-elle, légèrement inquiète.

— Bien sûr que non ! dis-je en retirant ma main. Désolée ! Déformation professionnelle. Vas-y, je t'écoute.

— OK.

Anna plie une jambe pour s'asseoir sur son pied et se tourne vers moi, prête à se lancer. Je l'écoute avec attention, pendant que mes doigts se glissent dans mes cheveux pour en faire une longue tresse, agrémentée de lacets multicolores.

— J'ai rêvé que je me baignais dans un lac, fait-elle pour commencer d'une voix incertaine. Tu sais, le petit lac qui se trouve de l'autre côté du centre commercial ? Non ? Tu n'y es jamais allée ? demande-t-elle en voyant mon regard interrogateur. Bien sûr que non, tu ne viens pas d'ici, désolée, ça m'arrive de l'oublier. Toujours est-il que j'étais dans ce lac en train de nager, quand Fabrice est arrivé. Il a enlevé ses vêtements — tous ses vêtements — et m'a rejointe à la nage.

Ma tête fait un mouvement de recul.

— Fabrice? dis-je en grimaçant. Fabrice Gariépy? Le gars qui est dans notre cours de sciences? Tu le trouves de ton goût?

—Ark! Non! lâche aussitôt Annabelle en agitant les mains devant moi pour me faire comprendre à quel point je suis dans l'erreur. Je ne veux rien savoir de lui! C'est ça qui est gênant! Je n'ai pas demandé à ce qu'il se pointe dans mon rêve. J'aurais aimé que ce soit quelqu'un d'autre qui vienne se baigner avec moi, tu comprends? Mais le pire, c'est qu'il m'a embrassée, tu imagines?

— Ishh! Comment c'était?

Anna se cache le visage avec les mains, lâche un « C'était merveilleux! » découragé et se laisse tomber à plat ventre sur son lit en faisant semblant de pleurer. Johnny Depp s'empresse de lui lécher le visage pour la réconforter, et moi, j'éclate de rire. Bout de luzerne! Imaginer Anna et Fabrice en train de s'embrasser, ça fait ma journée!

— Fabrice le don Juan! dis-je, sans cesser de rire. J'ai hâte de voir ta réaction quand tu vas le croiser tout à l'heure.

— Ne me dis pas qu'on a des sciences aujourd'hui? s'écrie Annabelle, en relevant la tête.

— Première période!

— Non ! Je vais mourir ! fait-elle en roulant les yeux.

— Est-ce qu'il a des belles fesses au moins ?

— Je n'ai pas vu ses fesses, franchement ! s'offusque mon amie, la voix étouffée.

— Ah ! Dommage. Et ses biceps ? Est-ce qu'il a de beaux biceps ?

Je me lève et plie le bras pour faire semblant de poser, à la manière d'un culturiste. Puis, je bouge les sourcils et lui envoie un baiser soufflé.

— Arrête ça ! grogne Anna, en me lançant son oreiller, un sourire au coin des lèvres. Je ne veux plus entendre parler de Fabrice Gariépy, tu m'entends ?

— C'est toi qui as commencé !

— Oui, eh bien ! J'aurais dû me taire.

Annabelle roule sur le dos et fixe le plafond, les yeux brillants. Elle a l'air tellement bien que je décide de faire pareil. Je la pousse doucement avec la main pour qu'elle me fasse une place et je m'allonge à côté d'elle.

— Est-ce qu'il t'arrive de rêver alors que tu es réveillée ? marmonne Annabelle, au bout d'un moment.

— Je suis souvent dans la lune, si c'est ça ta question.

— Non… Pas dans la lune…

CHAPITRE 3

Anna inspire profondément et m'explique :

— Souvent, avant de m'endormir, je m'invente des scénarios.

— Des scénarios ? Comme dans des films ?

— Un peu, oui, avoue-t-elle, songeuse. Les rêves que je fais lorsque je suis endormie sont tellement déprimants qu'il m'arrive de m'en inventer des meilleurs. Tu vois, ces jours-ci, j'aime bien faire semblant que je retrouve un ami d'enfance, m'explique Anna, sans cesser de fixer le plafond. Des fois, mes personnages n'ont pas de nom, mais lui, j'ai décidé de l'appeler Alex. Donc, Alex et moi, on ne s'est pas vus depuis qu'on a cinq ans. Mais un jour, par le plus grand des hasards, ses parents décident de déménager juste à côté de chez nous. Dès que nos yeux se rencontrent, on sait qu'on est faits l'un pour l'autre. Le problème, c'est que mes frères sont hyper protecteurs et qu'ils refusent catégoriquement qu'on se fréquente.

— Comment ça, *tes* frères ? fais-je, en fronçant les sourcils. Je croyais que tu n'en avais qu'un seul.

Mon amie secoue la tête.

— Oui, Morgane, j'en ai seulement un, m'explique-t-elle, découragée. Mais c'est un scénario, tu t'en souviens ? Je fais semblant. Et dans mon scénario, mes frères sont très nombreux, très costauds et surtout très méchants. Tu comprends ? Donc, puisqu'on ne peut pas se voir, Alex et moi, on se parle au téléphone, on s'écrit en cachette et on s'aime à distance. C'est hyper romantique ! On est des amants maudits. On s'aime, mais on est malheureux en même temps.

Anna fait une pause. Est-ce pour savourer ce moment « magique » ou parce qu'elle vient de réaliser que son histoire à l'eau de rose est complètement ridicule ?

J'ai surtout hâte que ça finisse !

Anna passe une main dans ses cheveux et poursuit avec émotion :

— Un jour, alors que je soupire à la fenêtre de ma chambre, mon plus jeune frère est pris d'un malaise. Un gros malaise. Personne ne sait ce qu'il faut faire. On essaie de l'aider, mais on sent que sa vie ne tient qu'à un fil. Il faut agir ! Finalement, alors qu'il cesse de respirer et que son cœur menace de lâcher, Alex sort de chez lui, grimpe la clôture qui sépare nos terrains et lui administre les premiers soins. Il lui sauve la vie au péril de la sienne. Ensuite vient le plus beau moment de l'histoire : celui où mon frère serre la main d'Alex pour le remercier et pour l'accueillir au sein de notre grande famille.

Annabelle roule sur le côté et se tourne vers moi, un sourire béat au coin des lèvres.

— Le premier baiser est toujours le plus beau. Le plus tendre.

— Oui, j'imagine…

En fait, je n'imagine rien du tout. Son histoire ne colle tout simplement pas.

— Il y a un truc que je voudrais savoir, dis-je, en me redressant sur un coude. Ils sont où vos parents pendant tout ce temps ? Tu habites toute seule avec tes frères ? Et tu ne vas jamais à l'école ? Tu n'es quand même pas Cendrillon, tu as le droit de sortir de ta chambre, non ?

Et l'ambulance? Pourquoi personne n'appelle l'ambulance si ton frère est si mal en point?

Mon amie secoue la tête de découragement et s'assoit sur le lit.

— Es-tu sérieuse?

— Quoi?

— C'est une histoire! grogne Anna, en replaçant une mèche de cheveux derrière son oreille.

— Oui, mais elle n'est pas très crédible. Limite impossible, je dirais même.

— Exact! C'est pour ça que ça me fait du bien, m'avoue Annabelle en me contournant pour descendre du lit. Ça me fait rêver. Ce n'est quand même pas interdit de rêver?

— Non... Bien sûr que non, mais tu pourrais trouver quelque chose de plus original, il me semble. L'histoire de la pauvre fille condamnée au malheur, on l'a déjà entendue des milliers de fois.

Annabelle me lance un regard furieux, prend son sac à dos et quitte la chambre en lançant:

— Ah! Et puis laisse faire! Je n'aurais jamais dû te parler de ça!

Je fais un geste pour la retenir, mais elle a déjà claqué la porte.

* * *

Annabelle ne relève même pas la tête quand je m'assois à côté d'elle dans le cours de sciences. Je lui donne un petit coup de coude pour la faire réagir, mais elle ne bronche pas. Elle boude. Je ne lui en veux pas, je me suis comportée comme une andouille.

J'ouvre la bouche pour lui adresser mes excuses les plus sincères, mais monsieur Lalancette ne me laisse pas le temps de parler. Il nous annonce un test surprise et commence à distribuer des feuilles dans les rangées en exigeant un silence absolu. Un test surprise? Bout de luzerne! J'ai complètement oublié de réviser la matière notée à mon agenda! La tête penchée sur ma feuille, je m'efforce de me rappeler tout ce qui a été dit au dernier cours, mais je sais pertinemment que la moitié de mes réponses ne valent absolument rien. Une fois ma copie sur le bureau du prof, je m'empare d'une feuille lignée et j'écris un petit mot que je glisse sous les yeux d'Anna.

Je vais couler, c'est sûr!
Tu te souvenais de la matière demandée au numéro 3, toi?

Anna tourne la tête pour éviter de regarder ma feuille. Elle boude encore. Bon. Qu'est-ce que je fais? Je lui donne un coup de pied sous la table pour attirer son attention? Non. Un peu trop violent, elle risque de ne pas aimer ça. Je fais semblant d'avoir un malaise pour qu'elle s'occupe de moi? Hum, je ne veux pas l'inquiéter pour rien. J'attends que sa colère passe? Hors de question! Je n'ai pas cette patience. Oh! Je sais ce que je dois faire! Je penche mon corps vers la droite, je tourne la tête dans sa direction et je pose un bisou sur sa joue avant qu'elle ait le temps de me repousser. Annabelle a un mouvement de recul et m'écrase les orteils avec son talon.

AÏE! Ça fait mal!

Tu n'as qu'à mettre de vraies chaussures, comme tout le monde! Les sandales, c'est pour l'été!

Tu marques un point. ALORS? Tu ne m'en veux plus?

Je n'ai jamais dit ça!

BEN LÀ! Qu'est-ce que je dois faire pour que tu me pardonnes, Anna? Tu sais bien que je regrette ce que j'ai dit.

Et si tu commençais par t'excuser?

Anna n'a pas tort. Je serre mon crayon bien fort entre mes doigts et je trace les lettres en majuscules.

JE M'EXCUSE. J'AI ÉTÉ STUPIDE. ON NE DEVRAIT JAMAIS S'EMPÊCHER DE RÊVER.

Je peux te montrer comment faire, si tu veux! 😉 J'ai tout un stock de scénarios dans ma tête. Il y en a sûrement un qui est fait pour toi.

Tant qu'il ne met pas en vedette Fabrice Gariépy, ça me va.

Anna et moi, on pose les yeux sur Fabrice, assis à notre gauche, et on pouffe de rire. Mais pas trop fort… On ne veut pas attirer la colère de monsieur Lalancette!

CHAPITRE 4

En bonne compagnie

CHAPITRE 4

Roméo : Viens-tu au party d'Halloween, vendredi ?

Moi : Quoi ? C'est cette semaine ? Déjà ? 😲

Roméo : Ben oui, un party d'Halloween au mois de novembre, ça serait un peu bizarre, tu ne trouves pas ?

Moi : Ouin.

Moi : Bout de luzerne ! J'étais si occupée, ces derniers jours, que je n'ai pas vu le temps passer.

Eddy : *So ?* Tu viens ou pas ?

Moi : Je ne sais pas encore. Ma mère risque d'être déçue si j'annule notre fin de semaine ensemble. En plus, je n'ai pas vu Yanie et Louba depuis une éternité.

Eddy : Pas besoin d'annuler. Ta mère peut venir te chercher samedi matin. *Right ?*

Roméo : Ou samedi après-midi, si tu as besoin de dormir un peu plus longtemps.

Moi : Tu me connais bien ! Je vais y penser. Je ne sais pas trop si j'ai envie d'y aller.

Eddy : *Why not ?* C'était vraiment *nice* comme fête, les autres années. Il y avait toujours plein de bonbons !

Moi : Je n'ai pas de costume.

Roméo : Pas besoin. Tu n'as qu'à porter tes vêtements « ordinaires ».

Eddy : Personne ne remarquera que tu n'es pas déguisée.

KOI ?!

Roméo : Tu gagneras peut-être le prix du costume le plus original.

Eddy : Ou de celui qui fait le plus peur.

Moi : Hé ! Avez-vous fini ? 

CHAPITRE 4

Eddy : *Don't be mad.* On te taquine, c'est tout.

Roméo : C'est parce qu'on t'aime ! 

Moi : Aimez-moi un peu moins, alors.

Moi : Bon, vous m'avez convaincue. Je vais y aller à votre party d'Halloween.

Moi : Mais c'est juste pour les bonbons.

Eddy : *Good !* Qui va t'accompagner ?

Moi : Ben, Anna, j'imagine.

Roméo : Tu n'as pas compris la question. Ce qu'Eddy veut savoir, c'est : qui sera ton cavalier ?

Moi : Je ne suis pas une princesse. Je n'ai pas besoin de cavalier.

Eddy : C'est un party accompagné, Morgane. Tu n'as pas le choix.

Moi : Es-tu en train de dire que je ne peux pas me présenter toute seule dans le gymnase de l'école pour m'empiffrer de bonbons, boire du jus orangé et visiter la maison hantée ?

Roméo : Qui te dit qu'il y aura une maison hantée ?

Moi : C'est une soirée d'Halloween...

Roméo : Et alors ? Ça existe, des soirées d'Halloween sans maison hantée !

Moi : Ah oui ? Où ça ?

Roméo : Je ne m'en souviens plus, mais ça existe !

Eddy : *We don't care !* Ce qu'on veut savoir, c'est si Morgane sera capable de trouver un gars qui voudra se pointer là avec elle.

Moi : Hé ! C'est un peu insultant ! Je suis tout à fait capable de me trouver quelqu'un !

Eddy : Qui ?

Moi : Ben, vite comme ça, je ne sais pas trop, mais je vais y arriver, c'est certain.

Eddy : J'ai bien hâte de voir !

Moi : C'est ça, bonne nuit !

Je quitte ma messagerie et je m'empresse d'aller fouiller sur Facebook. Avec un peu de chance, je vais trouver la perle rare. Il me faut un gars pas trop laid, mais pas trop beau non plus. Je ne voudrais pas qu'il se prenne pour un autre, quand même ! Je le veux drôle, intelligent, poli, respectueux et mature. Hum… Aussi bien aller le chercher sur une autre planète !

Mon doigt glisse sur la vitre de mon téléphone, mais je ne suis pas convaincue. Non, pas lui… pas lui non plus… Certainement pas celui-là ! Et tout à coup, je réalise que je me suis bien fait avoir. Eddy et Roméo m'ont manipulée ! Non seulement je n'avais pas l'intention d'aller au party, mais, en plus, ils ont réussi à me convaincre d'y aller accompagnée ! Je faiblis ou quoi ? Où sont passées mes convictions ?

Au moment où je m'apprête à éteindre mon cell, je tombe sur une photo publiée par Thomas. Mon cœur bondit. Je sais que je ne devrais pas m'en faire à son sujet, mais mon ami me manque et j'aimerais bien que tout s'arrange entre Eddy et lui. Sur la photo, le visage de Thomas s'éclaire d'un immense sourire, laissant entrevoir ses dents parfaitement blanches et superbement alignées. Il pointe le bas de l'écran, là où il a écrit :

« La première fille qui devine en quoi je compte me déguiser au party aura l'immense privilège de m'accompagner ! »

C'est bien Thomas, ça ! Faire un concours pour avoir la chance de le gagner, lui ! Il ne se prend pas pour de la merde, hein ? Évidemment, il y a des centaines de commentaires sous sa photo.

« Tu te déguises en diable.
Je me croise les doigts,
Tom ! 😍 »

« En fermier. OH ! J'aimerais
TROP y aller avec toi ! »

« Clown. ♥ »

« Docteur. Je te laisserais même m'examiner ! »

« Tu ferais un excellent sorcier. »

« Tube de dentifrice. Hi, hi ! »

« Je veux trop être ta cavalière. Je tente ma chance : nuage. »

Bien des filles ont tenté de deviner son costume, mais aucune d'elles n'a réussi à trouver. J'agrandis la photo pour examiner les pieds de Thomas et j'écris à mon tour :

« Facile ! Un boucher. »

Un message ne tarde pas à apparaître dans ma boîte privée.

Tom : Qu'est-ce qui te fait croire que je me déguise en boucher ?

Moi : Je pense que tu veux tellement gagner le concours du déguisement le plus original que tu as décidé de pratiquer ton maquillage avant de prendre la photo.

Tom : C'est vrai, et alors ?

Moi : Tu as laissé des traces.

Tom : ???

Hi ! Hi !

Moi : Tes souliers sont tachés de sang artificiel.

Tom : Ça ne veut rien dire.

Moi : On peut aussi voir le couteau de plastique que tu as laissé traîner sur le comptoir de ta cuisine.

CHAPITRE 4

Tom : Bravo, Watson ! Tu m'as démasqué. Mais il y a des tonnes de déguisements qui nécessitent du sang artificiel. Qui te dit que je ne me déguise pas en psychopathe sanguinaire ou en chirurgien ? Hein ? Et pourquoi pas en zombie, tiens ?

Moi : Je ne suis pas Watson, je suis Sherlock. 😛

Moi : Et tu as peur des zombies, l'aurais-tu oublié ?

Tom : Ouais. Bon. Tout le monde a peur des zombies.

Moi : C'est pour ça que tu te déguises en boucher. Tu peux te mettre du sang partout et te promener avec des couteaux sans avoir la trouille. En plus, tu es le plus grand carnivore de la terre, alors, c'est parfait pour toi. J'ai raison ou pas ?

Tom : Tu m'énerves ! Moi qui pensais aller au party avec une jolie demoiselle !

Moi : Ne te gêne surtout pas. Je n'ai pas l'intention de t'accompagner.

Tom : Tu as gagné mon concours. Tu n'as pas le choix.

Je m'apprête à répondre à Thomas, quand un signal m'indique que j'ai reçu un message d'un certain Félix.

Félix : Salut, Morgane. Party d'Halloween, toi et moi. Ça te tente ? ☺

Je relis le message plusieurs fois. Félix… Qui c'est, ce Félix ? Je fais une petite recherche sur Facebook et je trouve facilement une dizaine de photos de lui. Sur le terrain de football avec un groupe de filles. Autour d'une piscine avec un groupe de filles. À l'agora avec un groupe de filles. Oh ! Je le replace ! C'est le quart arrière de l'équipe de football. Un des gars les plus populaires de l'école depuis qu'on a fait un article, dans le *No Name*. En temps normal, j'aurais refusé son invitation illico, mais j'ai envie d'affronter Thomas. Je réponds tout de suite à Félix.

ALLÔ!

Moi : OK. On se voit vendredi.

Félix : Super !

Puis, je retourne à ma conversation précédente.

Moi : Désolée, Tom. J'y vais avec quelqu'un d'autre.

Tom : Mais oui, c'est ça ! Pfft !

Moi : Ce n'est pas une blague.

Tom : Toi ? Tu as rendez-vous avec un autre gars ? Impossible !

Moi : Comment ça, impossible ? Tu me prends pour un napperon ou quoi ?

Tom : Non, ce n'est pas ça...

Moi : Trouve-toi quelqu'un d'autre. Ça fait la file pour avoir le privilège de passer la soirée avec toi. Tu as l'embarras du choix. Mais, hé ! Tu ne sortais pas avec Jeanne, au fait ?

Tom : Non, c'est terminé.

Moi : Une de perdue, dix de retrouvées. Bonne chance pour la suite !

Tom : Hé ! C'est tout ?

Tom : Tu ne m'en dis pas plus ?

Tom : Avec qui vas-tu au party ?

Tom : Réponds-moi, sinon je débarque à la résidence pour te tirer les vers du nez ! Je suis même prêt à affronter Poilue ! À défoncer la porte de ta chambre !

CHAPITRE 4

Je lève les yeux au ciel et j'éteins ma messagerie. C'est clair que j'en ai encore pour une heure si je lui réponds. Je n'ai pas que ça à faire. Je me lève de mon lit et m'installe à ma table de travail. À côté de moi, Anna a les yeux rivés sur son cellulaire. J'imagine qu'elle est encore en train de faire le tri dans ses centaines de photos. Ou de fouiller sur le profil de Greg. Ou de lire son horoscope.

— Je pensais travailler sur le *No Name* avant d'aller au lit. Veux-tu m'aider ?

— Pas le goût, me répond Anna sans quitter son cell des yeux.

— Ça va ?

— Oui, oui ! Je suis concentrée, c'est tout.

Je m'approche d'elle et je jette un coup d'œil à son cell. Je ne comprends pas trop ce qu'elle fait.

— C'est un jeu qui me permet de savoir si mon nom est compatible avec celui d'un autre gars. Tu vois, si je sors avec Simon Théberge, j'ai quatre-vingt-cinq pour cent de chances de filer le parfait bonheur. C'est bon, hein, quatre-vingt-cinq pour cent ?

Anna tourne son téléphone dans ma direction pour me permettre de jeter un œil à son score quasi parfait. Je ne sais pas trop quoi répondre à ça. Une partie de moi sait que mon amie fait ça pour le plaisir et qu'il n'y a pas matière à s'affoler, mais une autre partie, bien plus grande, s'inquiète de la voir se réfugier dans ce genre d'insignifiances.

— Attends, dit-elle, en me faisant une place pour que je pose mes fesses à côté d'elle. Je vais entrer ton nom. Je suis curieuse de voir avec qui tu irais le mieux. Je vais essayer… euh…

Anna réfléchit. Et réfléchit encore. En fait, elle réfléchit un peu trop longtemps à mon goût. Elle ne m'imagine donc avec aucun gars de cette école ? Je décide de prendre les choses en main.

— Félix.

— Quoi, Félix ?

— Écris Félix Hébert.

— Pourquoi ?

— Je vais au party d'Halloween avec lui.

Annabelle essaie de répliquer quelque chose, mais elle est si surprise qu'elle s'étouffe avec sa salive. Elle tousse, elle rit, et elle essaie de parler en même temps. Je dois même mettre ma main devant sa bouche pour l'empêcher de me postillonner à la figure.

— C'est ça ! Moque-toi de moi !

— Je ne me moque pas de toi, articule-t-elle sans cesser de toussoter. C'est juste que…

CHAPITRE 4

Et elle s'étouffe à nouveau. Je lui donne des petites tapes dans le dos pour l'aider à reprendre son souffle, même si je sais pertinemment que ça ne sert à rien. J'agis plus comme une présence réconfortante en situation de difficulté respiratoire.

— Tu vas vraiment au party d'Halloween avec Félix Hébert ? Wow ! Bravo, Morgane ! C'est un très bon choix !

— Je n'ai pas vraiment choisi, c'est lui qui…

— Tu vas faire des jalouses, ça, c'est certain ! ajoute Anna sans m'écouter. Toutes les filles veulent sortir avec lui. As-tu pensé au costume que tu vas porter ?

— Pas encore. Mais ça ne presse pas, j'ai tout le temps de…

Anna lève un index pour me montrer qu'elle a une idée — et pour me faire taire, par la même occasion —, et déclare, fière d'elle :

— J'ai un plan. Je vais demander à mon père de venir nous chercher vendredi après les cours. On va aller chez moi, fouiller dans les bacs d'Halloween et trouver les plus beaux costumes pour nous deux. C'est bon, ça ?

— Ça me semble être une très bonne idée, en effet. Il y a juste un problème, toutefois.

— Lequel ?

— Tu n'as personne pour t'accompagner.

— Pas encore, mais ça ne tardera pas! me répond Annabelle en brandissant son téléphone devant mes yeux.

On passe l'heure suivante à inscrire le nom des plus beaux gars de l'école dans son application hyper révolutionnaire dans le but de lui dénicher un cavalier à sa hauteur. On apprend donc que son avenir avec Greg n'est pas très reluisant, qu'elle a de bonnes chances de se marier avec Alexis, son petit voisin de quatre ans, et que l'homme de sa vie pourrait bien être Roméo. Du grand n'importe quoi! De mon côté, ma soirée avec Félix risque bien d'être ma dernière en sa compagnie, puisque le total de nos points ne dépasse pas la barre des vingt pour cent.

À la fin de la soirée, je suis convaincue d'une chose: cette application est peut-être la plus stupide au monde, mais elle est aussi la plus drôle!

CHAPITRE 5
Kate Mackenzie, ma nouvelle idole

CHAPITRE 5

Moi : Alors ? Est-ce que tu lui as demandé ou pas ?

Yanie : Je n'ai pas osé.

Moi : Allez, Yanie ! Qu'est-ce que tu attends ?

Yanie : Ce n'est pas si facile, tu sauras !

Moi : Mais oui, voyons !

Moi : Tu vas le voir, tu lui tapes l'épaule et tu lui demandes s'il veut sortir avec toi, c'est tout.

Yanie : C'est tout ? Je ne m'appelle pas Morgane, moi ! Je suis timide !

Yanie : La dernière fois que j'ai abordé un gars, c'était pour m'excuser parce que je lui étais rentrée dedans avec le chariot du local d'informatique.

Moi : Tu sais ce que tu as à faire, alors !

Yanie : Quoi ?

Moi : Fonce-lui dedans ! 😉 Va voir ton beau Carl-Élie, fais semblant de trébucher, et excuse-toi pour ta maladresse légendaire.

Yanie : Oui, eh bien, c'est un peu ce que j'ai fait... Sans le faire exprès, évidemment.

Moi : Et puis ?

Yanie : Ça n'a pas été un grand succès.

Louba : Correction : ça a été un désastre !

Moi : Comment ça, un désastre ?

Louba : Yanie n'arrêtait pas de tourner en rond dans le corridor. Tu la connais ! Pas moyen de se décider. « Est-ce que je devrais aller lui parler ? » « Tu crois qu'il me trouve jolie ? » « Peut-être qu'il ne sait même pas qui je suis ! »

CHAPITRE 5

Louba : Je te le dis, Morgane, c'était pathétique ! En bonne amie que je suis, j'ai décidé de lui donner un petit coup de pouce.

Yanie : Un petit coup de pouce ? Tu m'as littéralement projetée sur lui ! Toutes mes affaires sont tombées par terre !

Louba : Au moins, il sait que tu existes, maintenant.

Yanie : Oui ! C'est vrai ! Bravo ! Il sait que j'existe.

Yanie : Il sait surtout que je traîne mon journal intime dans mon sac d'école, que son nom est écrit en grosses lettres sur la couverture de mon agenda et que j'ai collé des photos de lui partout à l'intérieur. La honte !

Moi : Bah ! C'est un peu radical, mais j'imagine que c'est efficace !

Hi ! Hi !

Louba : Ça aurait pu être efficace si Yanie s'était contentée de lui sourire et de s'excuser (ce que toute fille normale aurait fait dans pareilles circonstances).

Moi : Oh ! Je sens que ça se complique... Qu'est-ce qu'elle a fait ?

Louba : Tiens-toi bien, Morgane ! Elle lui a dit qu'elle était amoureuse d'un autre Carl-Élie Desfossés-Riendeau.

Moi : Ah, mais oui ! C'est un nom tellement courant ! 😄

Yanie : Ben là ! Il a vu que j'avais écrit son nom partout. C'était gênant !

Louba : Attends ! Ce n'est pas tout ! Prépare-toi à te rouler par terre !

Moi : Quoi ? Elle ne lui a quand même pas vomi dessus ?

Louba : Pire encore ! Elle a ajouté que son Carl-Élie Desfossés-Riendeau (qui lui ressemble comme deux gouttes d'eau, parce qu'on parle évidemment du même gars) habite dans un autre pays. Le Sotto ou l'Esotho, un truc du genre !

Moi : Oh ! Pour vrai ? J'aurais tellement aimé être là pour voir ça !

Louba : Tu n'aurais pas vu grand-chose. Le pauvre s'est sauvé en courant.

Yanie : J'étais paniquée, Louba. J'aurais bien aimé te voir à ma place ! Et en passant, on dit Lesotho, pas l'Esotho.

Louba : Pas du tout ! On dit « risotto » ! Et même si c'est délicieux, ce n'est pas un pays !

Yanie : Tu es inculte ou quoi ? Le Lesotho est en Afrique !

Hi ! Hi !

Moi : Hé ! Ça suffit, vous deux ! De toute façon, vous avez toutes les deux raison.

Moi : Louba, le Lesotho est vraiment un pays d'Afrique.

Moi : Yanie, tu viens de gagner le grand prix international de la situation la plus embarrassante vécue dans une école secondaire. Bravo ! Est-ce que je peux utiliser ton histoire dans un article pour mon journal ? Les gens vont se tordre de rire !

Yanie : Ben là ! Non !

Louba : Oh ! J'ai hâte de lire ça !

Yanie : J'ai dit non ! Si tu publies ça, je jure que j'engage un avocat et que je te poursuis pour acharnement sur personne en situation de fragilité émotionnelle.

Yanie : Et mon avocat sera tellement bon et mon témoignage, tellement poignant (je suis bouleversée, ne l'oublie pas), que tu te feras démolir devant le juge.

CHAPITRE 5

Yanie : Et tu finiras tes jours en prison. Avec les délinquantes et les meurtrières.

Yanie : Et un jour, on te trouvera morte au fond de ta cellule...

Moi : As-tu fini ? 

Yanie : Oui, je crois que j'ai fini. 

Moi : OK. Je te promets de ne pas publier d'article si tu me promets de trouver le moyen de te racheter avec Carl-Élie. Tu ne peux pas le laisser filer. Tu le vois dans ta soupe depuis trop longtemps.

Louba : Impossible ! C'est une cause perdue, Mo ! Le pauvre gars est traumatisé à vie !

Moi : Et toi, Louba, tu es censée aider Yanie.

Moi : Arrête de rire d'elle et fais un effort !

Yanie : Bon ! Tu as compris, Louba ? C'est Morgane qui le dit : fais un effort !

Louba : Mais oui, c'est ça !

Moi : Je dois y aller, maintenant.

Yanie : Oui, nous aussi. Les cours vont reprendre. Bon après-midi, Morgane !

Louba : À plus, vieille crotte !

Bye !

Moi : Bye, les filles ! xxx

J'ai toujours l'impression que tout s'efface autour de moi quand j'écris aux filles. Je n'entends presque plus rien, je ne vois presque plus rien, je suis dans ma bulle. Je mets donc un certain temps à réaliser que l'agora est en train de se vider complètement. Bout de luzerne ! Il faut que je me grouille, sinon, je vais arriver en retard à notre conférence !

Je ramasse mes affaires et je me dirige en vitesse vers l'escalier qui mène à l'auditorium. Je pousse la porte, je monte les marches quatre à quatre et bang ! je percute de plein fouet un couple en train de se bécoter. Qu'est-ce qu'ils font là, eux ?

— Aïe ! Désolée ! dis-je en me massant le front avec la main. J'allais trop vite.

— Ça va, me répond une voix que je connais bien. On s'en allait, justement.

Mes yeux se plantent droit dans ceux de Thomas. Pourquoi n'est-il pas à l'auditorium avec les autres ? Puis, mon regard dévie vers la fille qui le tient par la taille. Corinne ? Olivia ? Léonie ? Aucune idée de qui elle est. J'ouvre la bouche pour bombarder Tom de questions (et par le fait même, lui rappeler à quel point il me décourage), mais je me souviens tout à coup que je m'en fiche. Je n'ai pas de temps à perdre avec les histoires de cœur de Thomas. Je ne vois pas comment je ferais pour m'y retrouver de toute façon. On dirait qu'il s'est mis au défi d'embrasser la moitié des filles de l'école d'ici la fin de l'année !

Thomas étire le bras pour me retenir, mais je fais demi-tour sans lui laisser le temps de s'expliquer — il n'y a rien à expliquer, il fait ce qu'il veut de sa vie ! — et je rejoins Anna dans l'auditorium.

— Merci de m'avoir gardé une place, dis-je à mon amie, légèrement essoufflée.

— Pas de problème ! m'assure-t-elle en reprenant la veste qu'elle avait posée sur le siège à côté d'elle. Tu arrives juste à temps, ça va commencer.

Je m'assois sans perdre de temps et remarque qu'Anna me dévisage.

— Est-ce que ça va ? fait-elle en posant une main sur mon front. Je te trouve un peu blême. Et tu transpires.

— Oui, c'est parce que j'ai couru, lui dis-je pour toute explication.

Les lumières s'éteignent graduellement et je lève le pouce pour montrer à mon amie que tout va bien. Au même instant, le directeur monte sur la scène et un projecteur très puissant l'éclaire de la tête aux pieds. Il nous salue de sa voix grave et nous invite à nous installer confortablement pour accueillir celle qui va s'adresser à nous au cours des deux prochaines heures. Ai-je bien entendu ? Deux heures ? Elle ferait mieux d'être intéressante, cette conférencière ; sinon, j'en connais une qui va en profiter pour piquer un petit roupillon. (Moi !)

Des applaudissements polis se font entendre, la dame apparaît sur scène et un silence de mort s'installe.

CHAPITRE 5

Même moi, qui suis difficilement impressionnable en ce qui a trait à la différence ou aux handicaps, je retiens mon souffle. Aucun humain ne mérite de vivre une telle épreuve… La compassion s'insinue dans chacune de mes respirations, dans chacun de mes soupirs. J'aimerais m'élancer, grimper sur scène et entourer cette femme de mes longs bras pour lui faire un câlin. Mais mon ardeur est vite éteinte par les réactions de mon entourage. Les murmures acerbes se frayent un chemin dans l'assemblée et se glissent jusqu'à mes oreilles.

« OUACHE ! »

« QU'EST-CE QUE C'EST QUE ÇA ? »

« ON DIRAIT UN MONSTRE ! »

J'ai honte. J'ai tellement honte! Les commentaires qui fusent sont si mesquins, si gratuits, qu'ils me donnent envie d'attraper les gens de la foule par le collet pour les secouer dans tous les sens. À défaut d'avoir le courage de me lever pour leur demander de se taire, je m'enfonce dans mon siège et me frotte le front avec les doigts. Les mots qui sortent de la bouche d'Anna me glacent le sang.

— Dégueu, hein?

Mon corps se raidit tant, que je manque de tomber en bas de ma chaise. Sérieux, cette femme doit avoir vécu l'enfer, et personne ne semble s'en soucier.

Je me considère comme étant chanceuse, dans la vie. Je ne suis pas handicapée et je ne souffre d'aucune maladie. Je n'ai pas le visage défiguré par des brûlures, je marche normalement, je n'ai pas de surplus de poids non plus. Mais je fais quand même partie de ceux et celles qui sont jugés, qui suscitent des regards méprisants et des commentaires irrespectueux. Tout ça pourquoi ? Parce que j'arbore un look différent des autres. La preuve : monsieur Falardeau a encore eu un mouvement de recul en me voyant arriver dans son cours ce matin. Quelques mèches bleues, un tatouage temporaire sur la joue droite, des vêtements hors normes, et voilà ! Je suis une marginale qui inspire le dégoût. Mais c'est mon choix et je l'assume avec fierté.

Mais cette femme ! Cette femme n'a rien choisi du tout !

Et ça ne l'empêche pas d'être là, devant une foule d'adolescents méprisants. Elle attend, le corps droit, la tête haute, et ce qu'elle ne sait pas — et que j'aurais envie de lui crier haut et fort —, c'est qu'elle a toute mon admiration. Elle n'a pas encore commencé son discours que je l'aime déjà.

Quand elle s'approche du micro pour nous saluer, la plupart des élèves se taisent, mais j'entends encore des remarques blessantes qui surgissent à travers le silence.

« TU FAIS PEUR À VOIR ! »

« RETOURNE D'OÙ TU VIENS, L'EXTRA-TERRESTRE ! »

Indigné, le directeur s'avance pour intervenir, mais la dame lui fait signe de rester où il est. Puis, elle commence à nous parler de sa voix éraillée.

— Vous savez, le rejet fait partie de ma vie depuis toujours, dit-elle à l'attention de la foule, en appuyant bien ses mots. La première fois que ça m'est arrivé, j'étais encore dans le ventre de ma mère. Évidemment, je n'en garde aucun souvenir, mais le médecin n'y est pas allé de main morte avec mes parents. Selon lui, ma vie n'avait aucune valeur. Il voulait interrompre la grossesse. Il voulait me tuer. Kate Mackenzie a failli ne jamais exister.

Les quelques élèves qui placotaient encore se taisent aussitôt. Les mots rebondissent sur les murs de l'auditorium et se perdent dans l'assemblée maintenant silencieuse.

— Pour mon plus grand bonheur, ajoute Kate avec ce qui semble être un sourire sur son visage déformé, ma mère a catégoriquement refusé de se faire avorter. Elle a juré de se battre pour moi à chaque jour de mon existence. Même si je devais être la personne la plus laide au monde. Même si je risquais de passer le reste de mes jours à inspirer le dégoût.

J'avale difficilement ma salive, pendant que Kate continue son témoignage. Elle nous parle de sa maladie, nous explique pourquoi son visage est si repoussant, nous raconte les premières années de sa vie, avec les examens, les suivis et les opérations.

— Ce qui fait le plus mal, quand tu es un enfant, c'est le regard des autres. Les commentaires. Le jugement. Les moqueries.

Elle fait une pause pour laisser le temps aux élèves de réfléchir à leur propre attitude. J'entends une fille derrière moi se racler la gorge. Une autre tousse nerveusement à ma gauche.

Et à ma droite, Anna pince les lèvres, visiblement émue.

— Aujourd'hui, je suis une adulte et j'arrive à faire la part des choses, poursuit-elle, mais quand je suis arrivée dans la cour d'école, lors de ma première journée, je n'avais qu'un seul désir : être acceptée et me faire des amis. J'ai eu ma première amie à dix ans. Je vous laisse faire le calcul. Je suis restée seule pendant cinq ans…

Anna saisit ma main et ne la lâche plus jusqu'à la fin du témoignage. Je ne sais pas pendant combien de temps madame Mackenzie nous parle, mais ça file comme l'éclair. En plus d'être captivante, elle a le don de raconter les événements pour nous donner l'impression de les vivre avec elle. À l'aide de projections de photos, elle nous transporte dans son univers des dernières années.

Le mot que je retiens est : *persévérance*.

Elle a foncé. Elle s'est fixé des buts et a tout mis en oeuvre pour réaliser ses rêves. Elle a fait des études universitaires. Elle a voyagé à travers le monde. Elle s'est engagée auprès d'organismes d'aide humanitaire. Elle a mis sur pied une fondation pour soutenir les jeunes qui subissent de l'intimidation. Elle a même été bénévole dans un hôpital pour enfants. À la fin de la présentation, je n'ai qu'une seule conclusion à tirer de cette conférence : cette femme est une *superwoman*. Lady Gaga peut aller se rhabiller. Kate Mackenzie est ma nouvelle idole !

— C'est important de croire en ses rêves, nous dit-elle sur le ton de la confidence, avant de quitter la scène. Malgré tous mes voyages, toutes mes expériences de vie aussi incroyables les unes que les autres, je n'étais pas tout à fait heureuse. Il me manquait une chose. Une seule petite chose pour me sentir tout à fait épanouie. Aujourd'hui, je peux vous annoncer en grande primeur que mon dernier rêve est sur le point de se réaliser.

Un dernier clic sur la télécommande et une image en noir et blanc nous est dévoilée. C'est flou. On ne voit pas grand-chose. Je plisse les yeux et mon visage s'illumine. Je me lève pour applaudir et des centaines de têtes se tournent vers moi, l'air de se demander ce qui me prend. Et enfin, on comprend. On sourit. On crie. On applaudit.

Kate Mackenzie sera bientôt maman. Et moi, j'essuie une larme qui s'est frayée un chemin au coin de mon œil.

CHAPITRE 6

Vos rêves les plus fous

Le *No Name !*

Édito

Hier après-midi, nous avons eu l'immense bonheur de recevoir une personne extraordinaire à notre école. Kate Mackenzie a littéralement changé ma vie. Pour vrai ! Est-ce que sa conférence a eu le même effet sur vous? Personnellement, je ne cesse de me remettre en question depuis son passage. Suis-je assez gentille avec les gens de mon entourage? Suis-je une bonne personne? Comment puis-je m'améliorer? Comment faire du bien autour de moi? Comment être heureuse?

Madame Mackenzie a bien insisté sur l'importance de réaliser nos rêves. Les plus petits, les plus insignifiants, les plus fous, les plus tordus, les plus grands, les plus improbables. C'est ce qui nous permet d'être heureux. Vous voulez faire le tour du monde? Allez-y ! Vous voulez sauter en *bungee*? Pourquoi pas? Vous songez à devenir culturiste, alpiniste ou même contorsionniste? Entraînez-vous ! Vous ne savez pas comment vous y prendre? Vous avez besoin d'un coup de pouce? Vous cherchez la personne qui vous aidera à réaliser vos rêves? Ne cherchez plus ! Je suis là !

Remplissez le formulaire disponible à l'entrée du local B-108 et déposez-le dans la petite boîte rouge prévue à cet effet. C'est avec plaisir que j'examinerai votre candidature et que je vous proposerai un plan d'action à la fois réaliste et efficace.

En attendant, voici de quoi vous amuser!

Qu'on soit endormi ou éveillé, les rêves occupent une grande importance dans notre vie. Cet article hautement scientifique te permettra d'interpréter les images qui t'apparaissent lorsque tu es dans les bras de Morphée. Il a été approuvé par Annabelle, notre spécialiste incontestée de l'analyse du subconscient. 😉

Si ta couleur préférée est le bleu...

Le monde aquatique s'immisce dans la plupart de tes rêves. L'abondance de poissons, d'algues et d'animaux marins laisse présager une journée remplie de belles surprises. Les huîtres, qu'elles soient fraîches ou fumées, annoncent généralement une belle rentrée d'argent. Attention, toutefois, aux coquillages tranchants. Ils symbolisent les tromperies, les manigances et les mensonges. Tu as rêvé qu'une anguille te pourchassait? Méfie-toi de tes amis, ils sont peut-être en train de comploter dans ton dos.

Si ta couleur préférée est le vert...

La végétation prend une grande place dans tes rêves. Tu aimes te retrouver au milieu d'une forêt luxuriante, remplie de plantes et d'arbres plus grands que nature. Et cette passion te sert bien : le peuplier est signe d'une amitié fidèle, le chêne t'apporte la réussite et le sapin t'encourage à persévérer et à continuer de fournir des efforts. D'un autre côté, l'apparition d'un saule te prédit un grand malheur, et les feuilles qui tombent sont signe de déception.

Si ta couleur préférée est le jaune...

Les gens qui t'entourent font partie intégrante de tes rêves. Tes parents s'y pointent toujours le bout du nez ? Ne t'en fais pas, ils symbolisent la sécurité, le confort et la prospérité. Ta voisine t'est encore apparue la nuit dernière ? Elle t'annonce probablement un changement important. Et ton professeur ? Pas de panique ! Sa présence t'indique que tes amours se portent à merveille. Mais ne t'attends pas à passer une belle journée si tu rêves à un homme chauve – ou pire, un homme barbu –, parce qu'ils laissent présager une menace imminente.

Si ta couleur préférée est le mauve...

Ouf ! L'interprétation de tes rêves n'est pas chose facile ! Tu ne te souviens presque jamais des songes qui accompagnent tes nuits. Mais ne t'en fais pas, ce n'est pas un mauvais signe. Ça veut seulement dire que tu te reprends pendant que tu es réveillé. ☺ L'élève dans la lune pendant le cours de math, c'est toi !

VOS RÊVES LES PLUS FOUS

La rubrique littéraire

PRÉSENTÉE PAR EDDY

Puisqu'on parle des rêves, j'ai envie de vous présenter un livre qui m'a

Oh ! Mon sang ne fait qu'un tour ! Ai-je bien entendu quelqu'un remplir un formulaire ? Je ferme les yeux et tends l'oreille. Comme c'est excitant !

Incapable de patienter une minute de plus, je laisse tomber le *No Name* sur le bureau, j'ouvre la porte et je sors du local, comme si ma vie en dépendait. Puis, je penche la tête pour coller mon œil sur l'ouverture de ma précieuse petite boîte rouge. Voyons ! Il fait bien noir, là-dedans ! Je glisse l'index dans le trou pour essayer de sentir quelque chose, mais la boîte est aussi vide que tout à l'heure.

CHAPITRE 6

Qu'est-ce qui ne va pas avec les élèves de cette école ? Ils n'ont donc aucun but ? Aucune aspiration ? Je retourne dans le local, l'air mauvais, et je claque la porte derrière moi. J'ai besoin de me défouler. Et qui dit défoulement dit Thomas !

Moi : Veux-tu bien me dire à quoi ça m'a servi ?

Moi : Je n'ai pas dormi de la nuit, j'ai travaillé comme une folle pour écrire un nouveau numéro du *No Name*, j'ai convaincu la secrétaire de me laisser l'imprimer avant le début des cours (même si, en théorie, on devrait être sous presse seulement dans une semaine), et tout ça pourquoi ?

Moi : Aucun message !

Moi : Je pensais que les élèves sauteraient sur l'occasion. Qu'ils me bombarderaient de demandes. Mais non ! Rien !

Moi : Allô ! Es-tu là ?

Tom : Qu'est-ce que tu veux, Morgane ?

Moi : Comment ça, qu'est-ce que je veux ?

Tom : Pourquoi m'écris-tu ? Qu'est-ce que tu attends de moi ?

Moi : Il me semble que c'est clair, non ? Tu es mon ami et j'ai besoin de toi, alors je t'écris.

Tom : Arrête ça, veux-tu. Je ne suis pas ton ami.

Tom : Enfin, plus maintenant.

Moi : Qu'est-ce que tu racontes ? Bien sûr que tu es mon ami !

Tom : Ah oui ?

CHAPITRE 6

Tom: Tu ne me regardes même plus quand tu me croises dans le corridor.

Tom: Tu ne m'écris plus.

Tom: Tu ne réponds plus à mes messages.

Tom: Tu fais comme si je n'existais plus.

Tom: Je t'ai même proposé de venir au party d'Halloween avec moi et tu n'as pas voulu.

Tom: Dans ma tête à moi, ce n'est pas tout à fait ça, un ami, Morgane!

Moi: Hé! Qu'est-ce qui te prend? Tu me piques une crise ou quoi?

Tom: Je pique une crise si je veux!

Moi: Wow! Quelle preuve de maturité!

Tom: C'est ça, change de sujet, tu es bonne là-dedans!

Tom : Mais tu dois comprendre une chose : tu ne peux pas m'ignorer les trois quarts du temps et venir me demander de l'aide au moment où ça fait ton affaire.

C'est fou comme je bous en dedans ! Il y a tellement de choses que j'aimerais répondre à Thomas, que je ne sais pas par où commencer. Il veut me faire la morale ? Me donner des leçons sur l'amitié ? Pfft ! Il a été le premier à laisser tomber son meilleur chum à la première petite déception ! Je sais qu'Eddy trouve ça difficile. Il fait comme si tout allait bien : il sort, il se change les idées, il profite de son histoire d'amour avec Roméo, mais Tom lui manque, c'est évident ! Ces deux-là se connaissent depuis qu'ils ont quatre ou cinq ans. On ne peut pas effacer ça du jour au lendemain, une telle complicité !

Tom est tellement borné, quand il s'y met ! Je pense qu'il aurait besoin d'une thérapie. Mieux encore, il aurait besoin de quelqu'un qui le suit à la trace et qui lui donne une tape derrière la tête chaque fois qu'il se comporte comme un idiot. Tu évites de croiser Eddy ? Vlan ! Tu te permets un commentaire déplacé ? Vlan ! Tu fais comme si la présence de ton meilleur ami ne te manquait pas du tout ? Vlan ! Vlan ! Vlan !

CHAPITRE 6

Moi ? Tu penses ? Hum… Je ne suis pas une fille violente, mais j'avoue que ça me ferait grand plaisir de distribuer des claques. Thomas, ce n'est pas un mauvais gars. Il a un bon fond, comme dirait ma mère. Mais il a besoin d'être accompagné. Je suis sûre qu'au plus profond de lui-même, il rêve de se réconcilier avec Eddy. Seulement, il ne le sait pas encore.

Soudain, je comprends ! C'est ça ! C'est le rêve de Thomas ! Je viens de trouver mon tout premier client ! Oh ! Comme c'est excitant ! Et motivant ! Et stimulant ! Je me trémousse sur ma chaise, impatiente de poursuivre ma conversation avec lui. J'ai bien fait de prendre un peu de recul et de ne pas lui répondre tout de suite. J'aurais tout gâché. Si je veux mener à bien ma mission, je dois faire preuve de délicatesse, de doigté et de subtilité.

Tom : Tu vois ? Tu m'ignores encore !

NON ?!

Moi : Non. Je ne t'ignore pas du tout.

Moi : Je suis désolée, Thomas. Je crois que tu as raison. Je n'ai pas été très gentille ni très compréhensive avec toi ces derniers jours.

Moi : J'aurais dû être plus présente.

Tom : Arrête de niaiser, Mo...

Moi : Je ne niaise pas ! Je suis sincère.

Tom : Anna ? C'est toi ? Tu as piqué le cell à Morgane ?

Moi : Voyons ! C'est moi, je viens de te le dire !

Tom : Morgane n'est jamais si gentille. Ce n'est pas normal.

Hi ! Hi !

Moi : As-tu fini de faire l'imbécile ? Si tu ne veux pas de mes excuses, tu peux te les mettre où je pense !

CHAPITRE 6

Tom : OK ! C'est bien toi ! ☺ Content de te retrouver, Miss soupe au lait !

KOI ?!

Moi : Soupe au lait ? M'as-tu vraiment traitée de soupe au lait ?

Je me mords le poing pour m'empêcher de lui écrire des gros mots. Si je veux aider Thomas, je dois adoucir mon humeur. Mais il a le don de me provoquer, quand il s'y met !

Moi : Tu as raison. Je vais faire attention. Désolée.

Tom : Hé… Ça fait deux fois que tu t'excuses en moins de trois minutes… Es-tu sûre que tu te sens bien ?

Je crois que c'est assez pour aujourd'hui. Je dois prendre le temps d'élaborer un plan d'attaque avant de me lancer dans mon projet. Sinon, je risque de faire des bêtises.

Moi : Oui, oui, je vais bien. Anna vient d'arriver. On se parle plus tard ?

Tom: OK. À plus tard. Content de te retrouver, Mo!

Moi: Oui, moi aussi!

Bout de luzerne! Je dépose mon cell, je prends une grande respiration et je me demande comment je vais m'y prendre avec Thomas. La manière douce? La manière forte? Je pourrais lui faire un tableau de récompense avec des autocollants et des surprises! Hi, hi! «Bravo, mon grand, tu as réussi à dire bonjour à Eddy sans lui faire de grimace. Un bonhomme sourire!» «Oh! Tu as regardé Roméo et Eddy se donner un bisou sans changer de pièce? Wow! Tu es vraiment bon! Voilà un bonbon.»

J'ai le sourire fendu jusqu'aux oreilles quand Anna, Eddy et Roméo entrent en même temps dans le local du journal.

— *What?* demande Eddy, en se laissant tomber sur la chaise la plus confortable. Pourquoi tu ris toute seule?

— Parce que je suis heureuse!

— Et qu'est-ce qui te rend si heureuse? ajoute Roméo, les sourcils arqués.

— Rien. Je suis un génie, c'est tout.

CHAPITRE 6

Je lui fais signe d'oublier ça et je tends ma main ouverte. Eddy sait ce que je veux. Il pige dans la poche de sa chemise et me donne une poignée de jujubes aux fraises. Pendant ce temps, Roméo s'assoit sur une table et Anna s'installe derrière l'ordinateur. On reste là un moment à manger des bonbons, à parler du party d'Halloween qui s'en vient et à nous plaindre à propos de notre devoir de français. Puis, n'y tenant plus, je demande à mes amis :

— Alors ?

Eddy et Roméo échangent un regard incertain et Anna ignore tout simplement ma question.

— Alors quoi ? fait Roméo, en se levant pour prendre une bouteille d'eau dans son sac.

— Avez-vous réfléchi aux rêves que vous voulez réaliser ? Comment puis-je vous aider ?

— Tu n'as pas un ou deux élèves à harceler au lieu de t'acharner sur nous ? demande Eddy, mi-amusé, mi-exaspéré.

— Non, je n'ai pas encore reçu de formulaires, si c'est ce que tu veux savoir, dis-je, sans lui révéler mes intentions à propos de Thomas. Mais ce n'est pas grave. Vous allez être mes cobayes ! Par qui je commence ? Roméo ? Eddy ? Anna ?

Roméo lève la tête, regarde le plafond et se met à siffler de façon exagérée. Quant à Eddy, il me tourne résolument le dos (mais oui, vraiment palpitant, le mur gris du local !). C'est bon, j'ai compris !

— Et toi, Anna ? dis-je en approchant de mon amie, qui semble tout à coup très captivée par l'écran de l'ordinateur.

— Moi, je vais devenir une vedette, annonce-t-elle sans se retourner. Je vais être tellement connue que ça va vous prendre un rendez-vous pour avoir le privilège de me texter.

Eddy et Roméo éclatent de rire et lui lancent des boules de papier chiffonné pour la taquiner. Mais pas moi. On ne rit pas des rêves des autres. Surtout lorsqu'ils sont si… complexes. Anna va avoir besoin d'un plan d'affaires, de conseils et d'idées pour atteindre ses objectifs.

Et devinez qui va l'aider ? Moi !

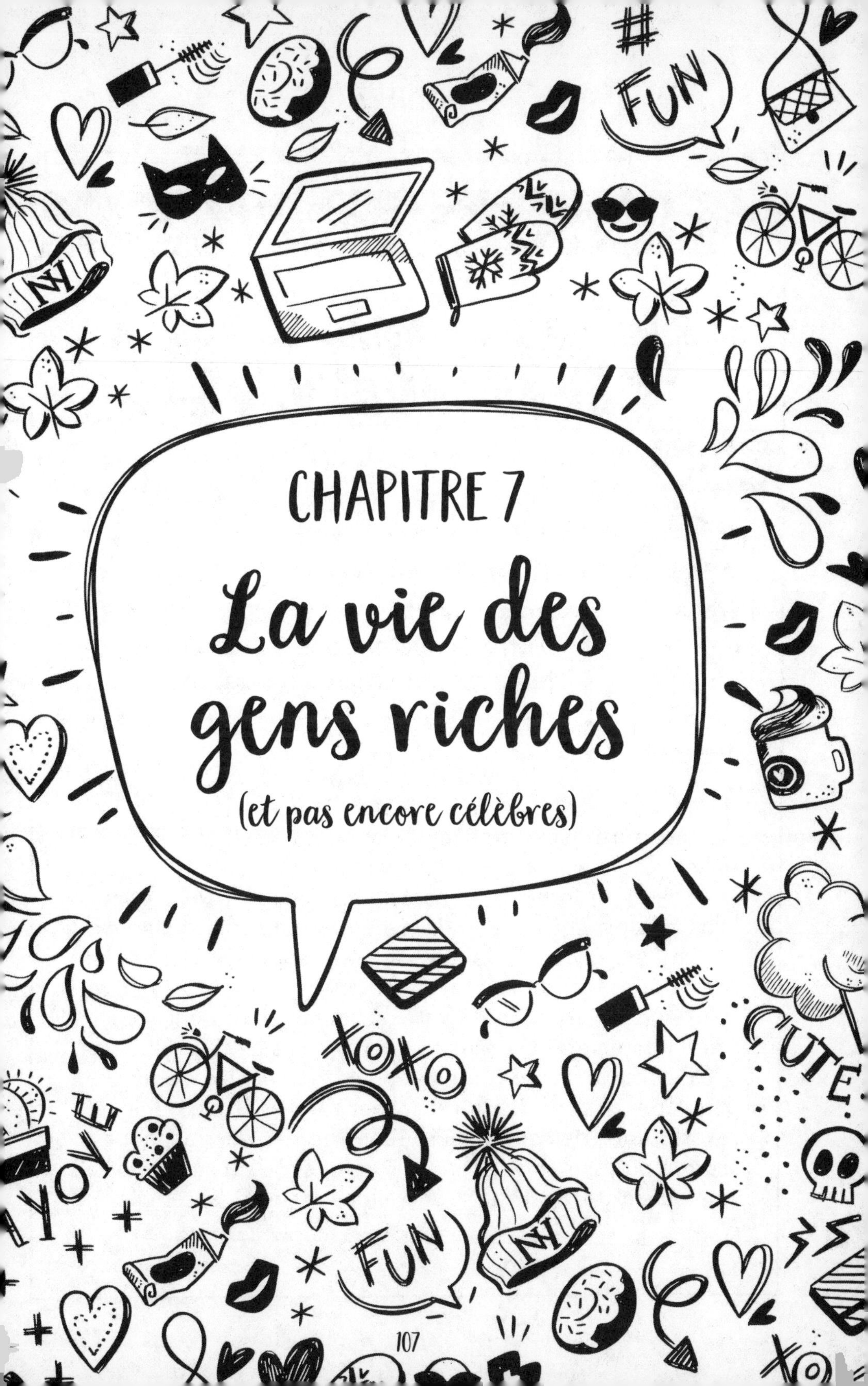

CHAPITRE 7

La vie des gens riches

(et pas encore célèbres)

Le No Name !

Édito

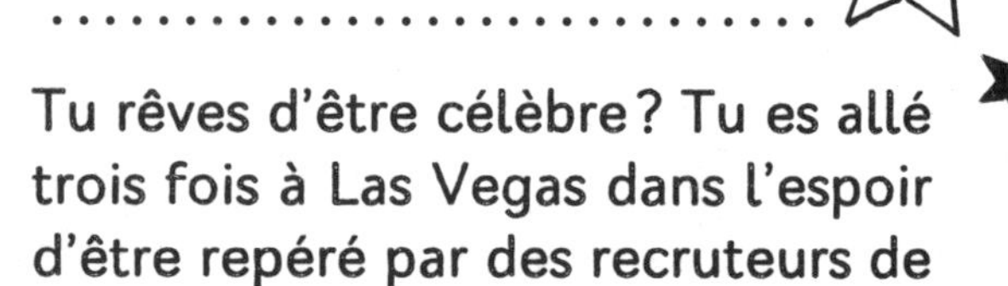

Tu rêves d'être célèbre ? Tu es allé trois fois à Las Vegas dans l'espoir d'être repéré par des recruteurs de talents ? Cet article est pour toi !

Le monde qui nous entoure est rempli de célébrités. Il y en a partout ! À la télé, sur Internet, dans nos bibliothèques, et parfois même au coin de la rue. Parmi les plus riches et les plus populaires, on retrouve des chanteurs à la voix d'or, des acteurs incroyables, des sportifs aux salaires exorbitants, des politiciens corrompus, et même des animateurs extravagants.

Mais la célébrité, ce n'est pas tout dans la vie. Encore faut-il trouver le moyen d'être heureux. Mais comment y parvenir quand le monde entier épie tes faits et gestes ? Quand les paparazzis te pourchassent jusque dans ton bain ? Quand tu ne peux même plus sortir de chez toi sans être envahi par une horde de fanatiques surexcités ? C'est ce que nous allons découvrir ensemble.

Tout d'abord, tu dois te pencher sur tes motivations. Pourquoi désires-tu être célèbre ?

Pour être riche ?

Tu n'as pas besoin d'être une vedette pour ça. Tu n'as qu'à étudier, travailler fort, te trouver un emploi payant et gérer ton budget intelligemment. Je sais, ce n'est probablement pas ce que tu veux lire, mais c'est la meilleure chose à faire.

Pour que les gens t'aiment ?

Attention ! C'est un couteau à double tranchant. (Et il est plus affûté qu'une lame de rasoir, c'est moi qui vous le dis !) Il y a deux types de vedettes : celles que les gens adorent et celles que les gens détestent. Et la ligne est mince entre les deux. Un jour, tout le monde t'idolâtre et le lendemain, hop ! tu es la cible des commérages les plus odieux. Et là, ta carrière est finie ! C'est un pensez-y-bien, non ?

Pour passer à la télé?

Personnellement, je ne suis pas fan des caméras (j'ai l'air d'une truite mouchetée à l'écran), mais je peux comprendre que cet univers soit attrayant. Les gens ont toutefois tendance à faire les choses à l'envers. Tu n'as pas besoin d'être une vedette pour passer à la télé, c'est plutôt le contraire : tu passes à la télé, et *ensuite* tu deviens une vedette.

Tu as pris ta décision?

La célébrité est faite pour toi? Tu veux te lancer?
Voici quelques trucs qui pourront t'aider.

La passion

Je te conseille d'exploiter ta passion pour te faire connaître. Pourquoi? Parce qu'une fois que le monde entier saura qui tu es, tu n'auras pas le choix de continuer. Tu ne veux surtout pas te faire connaître pour tes recettes originales à base de tofu, si tu détestes cuisiner, et que tu détestes le tofu.

Tu aimes chanter? Chante! Tu dessines bien? *Go!* Tu as un talent fou pour écrire des textes, composer des chansons, défiler sur une plate-forme en talons hauts, jouer de la trompette ou peindre de grands tableaux? Lance-toi! Et si tu arrives à faire tout ça en même temps, viens tout de suite me voir, je veux bien être ta gérante! ☺

Le temps

Tu dois évidemment être prêt à consacrer énormément de temps à cette passion. Le jour, la nuit, la semaine, le week-end et même pendant la relâche scolaire s'il le faut.

La modestie

Personne n'aime entendre quelqu'un se vanter. Tu peux parler de ton projet avec passion et détermination, mais tu ne dois surtout pas avoir l'air de celui ou celle qui se prend pour un autre. Les têtes enflées, on a juste envie de les percer avec une aiguille et les laisser se dégonfler jusqu'à ce qu'elles soient complètement vides.

. . . .

Alors ? Toujours envie de sortir de l'anonymat ? Ne manquez pas la suite de cet article ! Elle paraîtra dans un prochain numéro du *No Name*. Gardez l'œil ouvert ! En attendant, je vous invite à lire un billet du directeur, qui souhaite

CHAPITRE 7

Quand j'ai écrit mon article, j'ai cru que ça aiderait Anna à redescendre les deux pieds sur terre, mais au contraire, ça l'a motivée à poursuivre son rêve. Elle a appelé son père, il est venu la chercher à l'école et l'a accompagnée dans les magasins. Mon amie est revenue une heure plus tard avec une tablette électronique toute neuve entre les mains. Le modèle le plus récent et le plus puissant, évidemment !

— Vous ne deviez pas aller manger au resto, ton père et toi ? dis-je en la voyant se pointer dans notre chambre.

— Il avait du boulot.

Je regrette aussitôt ma question. Anna ne passe pas beaucoup de temps avec son père. Je suis sûre qu'elle est déçue qu'il se soit débarrassé d'elle aussi vite. Mais au lieu de s'apitoyer sur son sort, Anna lève un sac de plastique dans les airs d'un geste victorieux.

— Tu veux voir ?

— Tellement !

Sa tablette est géniale. On passe rapidement à travers les étapes de mise en marche et on s'empresse de lui choisir un fond d'écran. J'ai beau proposer mes idées — une photo de Lady Gaga, une image d'un jardin communautaire au Gabon, le symbole de la Société mondiale de protection des animaux — rien n'y fait. Elle effectue une recherche rapide sur Internet et se choisit un montage des personnes les plus riches, les plus connues et les plus populaires du Web.

— C'est pour m'inspirer, m'explique Anna, un grand sourire aux lèvres.

— Tu pourrais ajouter une image de Kate Mackenzie juste ici, dis-je, en pointant un espace vide.

Mon amie grimace et secoue la tête. En deux ou trois clics, elle comble le trou avec un cliché de Johnny Depp. Oh ! Elle me prend par les sentiments. Mon furet est si mignon sur cette photo ! Il est bien allongé sur une montagne de couvertures, on dirait qu'il nous tend les bras et qu'il nous dit : « Venez me faire un câlin ! » Choix approuvé à cent pour cent !

— Bon ! C'est quoi ton plan ? dis-je en m'installant à mon bureau, un carnet et un crayon à la main. Qu'est-ce que je peux faire pour t'aider ?

— Pas grand-chose. J'ai tout ce qu'il faut ici, me répond Anna en pointant son crâne avec un index.

— OK. Peux-tu m'en dire davantage ? Que vas-tu faire ? Te lancer dans la chanson ? Écrire des histoires à l'eau de rose comme dans tes rêves ? Inventer un numéro de divertissement tellement original qu'il va te projeter au premier rang mondial des attractions de Las Vegas ?

— Tu ne m'as jamais entendu chanter, ça paraît ! lâche Anna, un sourire au coin des lèvres.

— En fait, oui. Mais mon cerveau a supprimé ces souvenirs afin que je ne demeure pas traumatisée jusqu'à la fin de mes jours.

Je lui fais un clin d'œil et elle me répond par une grimace.

— Ce sera bien plus simple, annonce-t-elle enfin. Je vais devenir *youtoubeuse.*

Sur le coup, je suis surprise par son idée. *Youtoubeuse ?* Oui, pourquoi pas... Ce n'est pas une si mauvaise idée. Il y a plein de gens qui ont gagné la faveur du public en diffusant des vidéos sur YouTube. Finalement, plus j'y pense, plus je trouve qu'Annabelle est un génie !

— As-tu conscience de l'étendue des possibilités qui s'offrent à toi ? dis-je, en bondissant sur le matelas de mon lit. Tu pourrais présenter des mini documentaires qui dressent le portrait de la situation environnementale sur chacun des continents. Ou alors, tu pourrais proposer aux gens d'ajouter des clips à la suite de tes vidéos pour partager leurs gestes au quotidien.

Ça deviendrait viral, c'est certain ! Oh ! Mieux encore ! Tu pourrais t'adresser directement aux institutions gouvernementales pour les inciter à prendre des décisions plus éclairées en ce qui concerne…

J'arrête de parler. Anna est partie. Elle m'a plantée là toute seule comme une dinde.

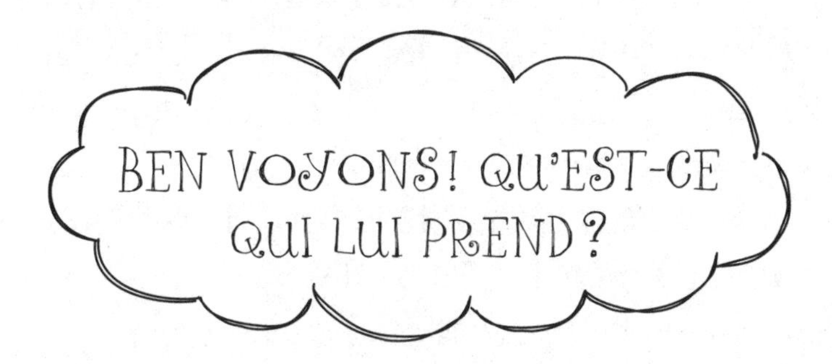

J'ouvre la porte de notre chambre et je la retrouve assise par terre dans le corridor, sa tablette sur les genoux, des écouteurs aux oreilles.

— Hé ! dis-je en lui poussant l'épaule avec un de mes pieds.

— C'est *mon* rêve, Morgane, me répond Anna sans lever la tête. Si tu veux changer le monde, tant mieux pour toi, je ne vais pas t'en empêcher. Mais arrête de me casser les oreilles avec ça.

J'encaisse le coup sans sourciller — enfin, sans trop sourciller —, et je m'assois à côté d'elle.

— Oui, désolée... Je crois que je me suis emballée. Tu veux toujours me parler de ton idée ?

Anna esquisse un grand sourire et m'explique qu'elle veut monter des vidéos qui donneront des trucs pour bricoler à la maison. Mes yeux s'écarquillent malgré moi. Euh... OK. Je ne dois pas la juger. Ce n'est pas beau. Et ce n'est pas gentil. Mais des vidéos de bricolage ? Vraiment ? Elle veut faire un arbre en papier mâché dans notre chambre ou quoi ?

— Je sais ce que tu te dis, déclare Anna d'un air supérieur. Tu te dis qu'on n'est plus en maternelle et que la vie est trop courte pour s'attarder à des détails aussi stupides que des pots de colle et des brillants.

— C'est un peu ça, oui...

— Mais ça va être vraiment cool, ajoute-t-elle, sans se démonter. Je vais proposer des idées différentes qui permettront aux jeunes d'inventer toutes sortes de trucs cool et de décorer les objets qui les entourent. Ça va être simple, efficace et vraiment cool. Est-ce que j'ai dit que ça serait cool ?

Anna est si contente, si radieuse, que je ne me sens pas le courage de lui ramener les pieds sur terre. Ça n'intéressera personne, ses bidules.

Mais en tant que bonne amie — et en tant que coach personnel de réalisation des rêves —, je lui promets de l'aider du mieux que je peux pour que sa chaîne se retrouve avec des milliers d'abonnés et qu'elle fasse la une de tous les journaux. Rien de moins !

J'allonge les jambes pour rêvasser un peu et mon cell vibre dans ma poche. Je le prends pour voir qui m'a écrit.

Félix : Salut, beauté ! Hâte à demain ?

Moi : Appelle-moi Morgane, s'il te plaît.

Félix : Pourquoi ? Je trouve que ça te va bien, beauté !

Moi : Et moi, je te trouve plus beau avec des dents.

Moi : Choisis tes mots avec plus de discernement, s'il te plaît.

Félix met un temps à répondre. Est-ce parce qu'il cherche la définition de « discernement » sur Google ou parce qu'il vient de réaliser que je menace carrément de lui casser les dents? Je ferais peut-être mieux de le rassurer.

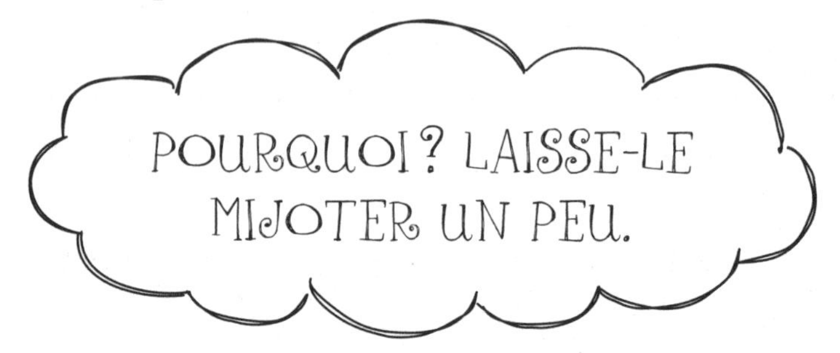

D'abord, parce que je ne veux pas que la police débarque dans ma chambre. Les procédures enclenchées par les autorités en cas de menace de voies de fait sont longues et laborieuses. Je n'ai pas le temps pour ça. Ensuite, parce que je vais passer la soirée de demain avec lui. Ça serait bien qu'il ne tremble pas comme une feuille chaque fois que j'ouvre la bouche ou que je le touche.

Félix: Ah, OK.

Hi! Hi!

Félix: Je me demandais, aussi! J'ai presque eu peur, là! Hi, hi!

Moi: Hi, hi!

Bon, ça suffit, les insignifiances. A-t-il quelque chose d'intéressant à me dire ou il m'écrit seulement pour me faire perdre mon temps?

Félix: Alors? Prête pour demain?

Moi: Pas du tout.

Félix: Ah non? Euh. OK.

Anna me donne un coup de coude si puissant que je me plie en deux.

— Hé! Ça fait mal! dis-je en lui faisant les gros yeux.

— C'est à toi d'être plus gentille!

Sur le moment, je ne saisis pas. Anna désigne mon téléphone d'un coup de menton et je comprends qu'elle a lu mon échange avec Félix.

CHAPITRE 7

— Tu n'es pas gênée ! C'est une conversation privée !

— Va ailleurs si tu ne veux pas que je lise par-dessus ton épaule, dit-elle pour se défendre. Et veux-tu bien me dire pourquoi tu es si méchante avec lui ? On dirait que tu passes des auditions pour le titre de la fille la plus désagréable de l'Univers. Félix est super fin avec toi et tu t'entêtes à le rendre mal à l'aise. Franchement, Morgane, je ne te comprends pas.

Je baisse la tête pour relire mon échange et je soupire. Anna a raison. Je ne sais pas pourquoi je fais ça. Je pourrais passer une belle soirée avec un des gars les plus populaires de l'école et, à la place, j'essaie de tout bousiller avant même que ce soit commencé.

— Laisse-lui au moins une chance, ajoute Anna, le regard un peu plus doux. Tu vas peut-être t'amuser.

— Tu as raison, dis-je en relevant les genoux pour y appuyer mes coudes. Je vais essayer de faire attention.

Mon amie lève la main pour repousser les cheveux de mon visage.

— Quoi ? murmure-t-elle en s'approchant davantage. Je ne suis pas sûre d'avoir compris. As-tu vraiment dit que j'avais raison ?

— Ah ! Ah ! Ah ! Très drôle !

— Si tu pouvais juste le répéter, demande-t-elle en me plaquant sa tablette sous le nez. J'aimerais bien t'enregistrer.

— Pourquoi ?

— Ça ferait une super sonnerie sur mon téléphone.

— Bon, bon, bon, dis-je en me levant brusquement. Je pense que je vais poursuivre ma conversation en privé. Amuse-toi bien avec ton nouveau jouet !

— Ne t'inquiète pas pour moi.

Anna m'envoie un bisou soufflé et j'ouvre la porte de notre chambre pour me laisser tomber sur mon lit. J'ai du rattrapage à faire. Je relis les dernières phrases échangées avec Félix : « Alors ? Prête pour demain ? » « Pas du tout. » « Ah non ? Euh. OK. » Je tape, peu fière de moi :

Moi : Ce que je voulais dire, c'est que je n'ai pas encore de déguisement. Mais ce n'est pas grave. Anna va m'aider à trouver quelque chose.

Félix: Cool ! J'ai hâte de voir. 

Moi : Et toi ? En quoi tu te déguises ?

Félix: En joueur de football.

Félix: Je sais, ce n'est pas très original, mais c'est tout ce que j'ai.

Félix: Je n'ai pas envie de dépenser pour un costume.

Moi: C'est parfait, ne t'inquiète pas. De toute façon, l'important, c'est qu'on soit ensemble et qu'on s'amuse, tu ne crois pas?

Bout de luzerne! Est-ce que j'ai vraiment écrit ça? Un peu plus et je lui saute au cou! Il va croire que je m'intéresse à lui, maintenant.

Félix: Tout à fait d'accord! Veux-tu que je passe te chercher chez Anna avant le début de la soirée?

Moi: C'est gentil, mais non. On ira vous rejoindre dès qu'on sera prêtes.

Félix: Parfait. À demain, alors.

Bye!

Moi : Oui, à demain.

Je sais que j'ai reçu une tonne de messages pendant que j'écrivais à Félix. Mon téléphone n'a pas cessé de vibrer entre mes mains. Je commence par répondre à celui de ma mère. C'est assez bref. Et assez étrange…

Maman : Comment tu vas, ma colombe ?

Moi : Bien.

Maman : Et tes cours ?

Moi : C'est cool.

Maman : Tout va bien avec tes amis ?

Moi : Ouaip !

Maman : As-tu assez de vêtements propres ? De nourriture pour Johnny Depp ? De temps pour faire tes devoirs ? D'heures de sommeil ?

NON ?!

Je passe ensuite aux messages suivants. Yanie et Louba me demandent comment je me sens, alors que je m'apprête à passer la soirée avec une beauté sur deux pattes. J'ai beau leur répondre que Félix ne m'intéresse pas, qu'il a autant de cervelle qu'un invertébré et que je risque de trouver le temps long en sa compagnie, elles veulent quand même que je leur écrive dès que je rentre.

Yanie : On veut tous les détails !

KOI ?!

Louba : Prends des photos !

Yanie : Tu nous diras s'il embrasse bien.

Louba : Et s'il sent bon.

Moi : Mais oui, c'est ça ! Bye, les filles !

Puis, je passe au message de Thomas.

Tom : Salut ! Je ne savais pas qu'Anna s'était créé une chaîne YouTube.

Moi : Elle veut devenir une vedette.

Tom : En tout cas, ne lui dis surtout pas, mais sa première vidéo n'est pas très réussie...

Hi ! Hi !

CHAPITRE 7

Moi : Comment ça, sa première vidéo ? Elle a reçu sa tablette tout à l'heure !

Moi : Tu es sûr que c'est elle ?

Tom : Ben là ! Pour qui tu me prends ?

Tom : Anna-Bella4 a mis sa vidéo en ligne il y a cinq minutes, elle a été partagée sur le compte Facebook d'Anna et c'est sa face qu'on voit à l'écran. Je ne peux pas vraiment me tromper.

Moi : OK. Je te crois.

Moi : Elle a été rapide !

Tom : C'est une vieille vidéo, à mon avis. Elle a dû la tourner il y a longtemps.

Moi : Et pourquoi tu dis que ce n'est pas très réussi ?

Tom : Parce que c'est pourri ! Regarde !

Tom m'envoie le lien, je clique et la vidéo démarre.

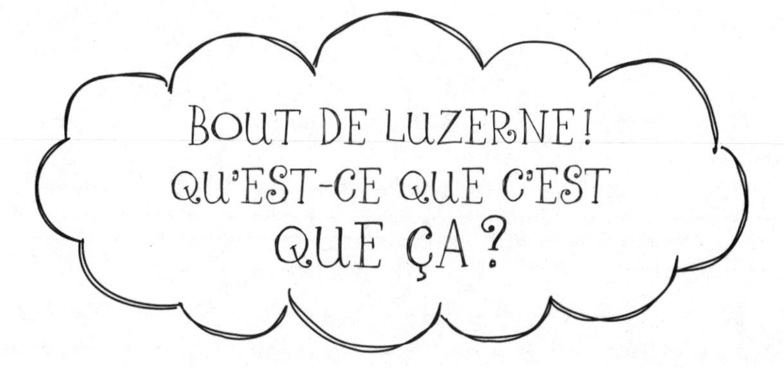

CHAPITRE 8

Anna-Bella4

CHAPITRE 8

Anna doit retirer sa vidéo sur-le-champ ! C'est le genre de truc qui peut devenir viral dans le temps de le dire. Un clic par-ci, un partage par-là, et voilà, sa vie est fichue ! Ce n'est pas des blagues ! C'est une question de minutes, voire de secondes avant qu'elle devienne la risée de l'école. Bientôt, les gens vont lui lancer des tomates par la tête. Ils vont brûler ses vêtements, lui crier des noms, et avant même qu'on comprenne ce qui est en train de se passer, la Russie au grand complet va se mobiliser pour abolir sa chaîne YouTube.

Tu as vu la vidéo ? Je n'exagère pas du tout ! Je dois lui parler !

Mais Anna ne me donne pas le temps d'aller la rejoindre dans le corridor. Elle entre dans notre chambre, un immense sourire aux lèvres et gambade jusqu'à son lit. Sa longue chevelure blonde ondule le long de son dos et ses bracelets de métal tintent autour de ses poignets.

Elle semble si heureuse ! On dirait une petite fille qui vient de trouver une coccinelle !

Je lui laisse le temps de faire deux ou trois caresses à Johnny Depp et de mettre son cell à charger. Puis, je passe à l'attaque :

— Anna, il faut que je te parle.

— Moi aussi ! lâche mon amie en se tournant vers moi, les yeux rêveurs. Greg vient de me demander si je voulais l'accompagner au party demain.

— Hein ? Greg ? Sérieux ? Tu n'y allais pas avec… chose, là ?

— Tristan ? demande Anna, le nez retroussé.

— Oui, c'est ça, Tristan.

— C'est ce qui était prévu au départ. Mais je viens de lui écrire pour lui dire que j'annulais. Je ne peux pas refuser l'invitation de Greg, tu comprends ? Depuis le temps que je rêve à lui !

— Oh ! Oui, ça doit faire au moins deux semaines ! dis-je, peu impressionnée. Je me demande comment tu as fait pour tenir aussi longtemps.

Anna sent le sarcasme dans mon commentaire. Elle lève le menton et me tourne volontairement le dos.

— Tu pourrais être contente pour moi, marmonne-t-elle, en jouant avec ses bracelets de métal. Ce n'est pas toujours facile depuis que Rosalie et Justin sortent ensemble...

— Mais oui, je suis contente! dis-je pour me racheter. Je suis sûre que vous allez passer une super soirée, tous les deux. Je me demande seulement ce qui l'a poussé à t'inviter comme ça, à la dernière minute.

— Je ne sais pas trop...

Anna! Ma belle Anna! Ta voix devient si aiguë quand tu mens, que tu ne trompes personne.

— Il doit bien y avoir une raison, fais-je, insistante.

Annabelle se gratte la nuque avec ses longs ongles parfaitement manucurés — ils sont rose et blanc, avec une petite pierre sur les pouces, rien à voir avec mes ongles recouverts d'écailles de poissons —, et m'annonce avec la plus grande fierté:

— Il a vu ma vidéo. Il m'a trouvée super bonne et super drôle. Tellement, qu'il a décidé de s'abonner à ma chaîne YouTube!

— Euh... D'accord...

Bout de luzerne! Comment lui dire que Greg est en train de la faire marcher? Qu'il est impossible qu'un gars s'intéresse de près ou de loin à la manière de fabriquer un porte-monnaie à l'aide d'une balle de tennis et d'une vieille chaussette de laine ? Si ça se trouve, il va profiter du party pour l'humilier en public et faire tourner sa vidéo en boucle devant tout le monde.

« PRÉPAREZ-VOUS
À VISIONNER
LE PIRE
FILM D'HORREUR DE
TOUS LES TEMPS !
ÂMES SENSIBLES
S'ABSTENIR ! »

Anna est mon amie et c'est mon devoir de la protéger, mais je ne veux pas lui faire de peine non plus. Je dois user de tact, de délicatesse et, surtout, lui donner des commentaires constructifs qui l'aideront à s'améliorer au fil du temps.

— Tu me montres ce que ça donne ?

Trois secondes. C'est le temps qu'il faut à Annabelle pour agripper sa tablette, parcourir la distance qui sépare son petit bureau de mon lit, s'asseoir adossée au mur et démarrer sa vidéo.

CHAPITRE 8

— Je l'ai tournée l'année dernière, m'explique Anna. Tu vas voir, je manquais un peu d'expérience.

Je dirais plus qu'elle manquait de talent. Mais je me tais, évidemment. Déjà que j'ai trouvé ça pénible de la regarder la première fois, on dirait qu'en la visionnant à nouveau, mes yeux ne peuvent que s'attarder sur les détails. Anna est désorganisée, elle cherche son matériel, se trompe à plusieurs reprises, colle la chaussette à l'envers, recommence, se brûle un doigt avec la colle chaude, lâche un juron, renverse son pot de brillants et finit par nous présenter le fruit de ses efforts : un petit porte-monnaie horrible, à peine assez grand pour contenir trois pièces de vingt-cinq cents, et qui risque de fendre à tout moment.

— Qu'est-ce que tu en dis ? me demande-t-elle en levant ses grands yeux vers moi. Je me suis bien débrouillée, hein ? J'ai déjà une dizaine de visionnements. Je pense que ça va marcher fort, mes vidéos. J'ai pensé appeler ça « FLTM ».

Mon visage doit parler de lui-même — FLTM ? — parce qu'Annabelle ressent le besoin de s'expliquer :

— Fais-le toi-même ! C'est une abréviation. En anglais, on dit *DIY* pour « *Do it yourself* », mais je me suis dit que tu ne serais pas très contente si j'utilisais une expression dans une autre langue.

Faux ! Je ne suis pas très contente, point ! Je veux bien m'investir dans le bonheur des autres et les aider à réaliser leurs rêves, mais je ne fais pas de miracles non plus ! Anna a beaucoup de chemin à parcourir avant de devenir une vedette internationale. Et on doit commencer maintenant. Je prends le temps de lui dire que c'est très bien — oups ! un petit mensonge en partant ! —, qu'elle a de bonnes idées — si elle vise les jeunes du préscolaire, oui ! — mais qu'il y a du travail à faire en ce qui concerne l'organisation, la préparation du matériel et l'exécution dans sa globalité.

— Mais ne t'en fais pas ! je m'empresse d'ajouter, pour l'encourager. On va y arriver ! Une étape à la fois, comme on dit. Qu'est-ce que tu dirais de commencer par choisir une musique pour ta prochaine vidéo ?

— Qu'est-ce qu'elle a, ma musique ? grogne mon amie. Elle n'est pas bien ?

— Oui, oui, mais dis-toi qu'on peut toujours faire mieux !

— OK. Si tu le dis…

CHAPITRE 8

Anna et moi décidons de pique-niquer dans notre chambre au lieu d'aller manger à la cafétéria. Ça fait bien mon bonheur, puisque ce soir ils nous servent un ragoût de boulettes, accompagné de salade César. Je ne mange pas de ragoût (encore moins de boulettes), et la salade César est remplie de bacon, alors je me serais nourrie de bouts de laitue et de croûtons à l'ail. Au lieu de ça, je nous prépare un smoothie « spécial concentration » à l'aide de mon petit mélangeur et je nous le sers avec des craquelins, du houmous et des graines de citrouille bien croquantes.

— Euh... Qu'est-ce que tu as mis là-dedans ? me demande Anna, en pointant le verre que je lui tends.

— Cresson, kale, avocat et brocoli !

Anna s'approche pour examiner ma mixture.

— Je passe mon tour. Désolée.

— Tu n'y as même pas goûté !

— Je ne suis pas une vache, Morgane. J'ai besoin d'un peu plus que du jus d'herbe pour être en santé.

— Ce n'est pas du jus d'herbe, voyons, dis-je, insultée.

— C'est vert !

— Et alors ?

Comme s'il voulait se mêler de la conversation, Johnny Depp saute sur une de mes épaules, se déplace le long de mon bras et s'approche de mon verre pour en renifler le contenu. Puis, il lâche un petit cri et se sauve sous mon lit. Espèce de traître !

— Tu vois ? Même Johnny Depp n'en veut pas, me fait remarquer Anna.

— Normal, c'est un furet. Il mange de la nourriture pour furets.

— C'est exactement mon point, précise mon amie. Trouve-moi de la nourriture pour humains et je vais la manger. As-tu des chips ?

Je lève les yeux au ciel et j'invite Anna à se servir dans mon frigo et dans ma petite armoire. Elle se choisit un bout de fromage, une tranche de pain, des crudités et une boîte de sardines.

— Très bien, lui dis-je, impressionnée. C'est un repas très santé.

— Ce n'est pas comme si je pouvais me cuisiner un steak, bougonne Anna, en croquant dans un bâtonnet de céleri. Rappelle-moi de refuser tes pique-niques dans la chambre, la prochaine fois. Ça va empester le poisson pendant des jours !

Je lui souris et on se met au travail. On a du pain sur la planche si on veut arriver à faire quelque chose avec son projet de fou.

Tom : Comment va Anna-Bella4 ?

Moi : Elle dort.

Tom : Je la comprends. C'est épuisant être une vedette !

Moi : ☺

Tom : Sans blague, comment elle s'en sort ?

Moi : Tu veux que je sois honnête ou que je sois polie ?

Tom : Les deux en même temps, est-ce que c'est possible ?

Moi : Pas dans ce cas précis.

Tom : OK. On change de sujet, alors. De toute façon, je sais déjà que tu vas faire des merveilles avec elle.

Moi : Trop gentil.

Tom : Je sais. 😉

Tom : Tu ne m'as toujours pas dit avec qui tu allais au party demain.

Moi : Non, c'est vrai. Et toi, avec qui tu y vas, finalement ? Chloé ? Emma-Rose ? Pénélope ? Mégane ? Laurence ?

Moi : La liste des filles qui te tournent autour est bien longue !

Tom : Aucune de ces réponses. J'y vais avec Gabrielle.

Moi : Connais pas.

Tom : Elle est en quatrième secondaire. C'est une cheerleader. On s'est rencontrés sur le terrain de football.

Moi : Tu ne trouves pas que tu en fais un peu trop ? Le hockey et le football en même temps, c'est beaucoup, non ?

Tom : Pas tant que ça. Lundi et mercredi : football. Mardi et jeudi : hockey. La fin de semaine, un peu des deux.

Moi : Quand même, c'est beaucoup. N'oublie pas de garder du temps pour tes travaux. Les études, c'est important. Bien plus que le sport.

Tom : Oui, maman ! 😉 Promis !

Moi : Ce n'est pas une blague, Thomas. C'est bien beau, avoir toutes les filles pendues à ton cou, mais si tu finis par abandonner l'école avant la fin de ton secondaire parce que tu échoues la moitié de tes cours, ce n'est pas vraiment mieux.

Moi : C'est tout ton avenir qui est en jeu, ici.

Moi : C'est très difficile de se trouver un emploi quand on n'a pas de diplôme, tu sais. Tu ne veux quand même pas finir tes jours dans le fond d'une ruelle à quêter de l'argent aux passants et à dormir sur une vieille couverture mangée par les mites.

Moi : Non ?

Tom : As-tu déjà pensé faire du théâtre ?

Moi : Du théâtre ? N'essaie pas de changer de sujet. C'est très sérieux, ce que je te dis !

Tom : Tu as un petit côté dramatique bien développé, je trouve. Tu serais super bonne sur scène.

Moi : Très drôle !

Moi : Fais ce que tu veux de mes conseils, c'est ton avenir, après tout. Pas le mien.

CHAPITRE 8

Tom : Exact. De toute façon, je te trouve bien mal placée pour parler.

Tom : Tu passes tout ton temps devant ton ordinateur à pondre des articles pour le *No Name*. Je ne suis pas sûr que ce soit mieux.

Hi ! Hi !

Moi : Au moins, mes études n'en souffrent pas. Même que c'est un complément considérable à mon apprentissage journalistique. Mon avenir est entre bonnes mains.

Tom : N'empêche que tu pourrais faire autre chose de temps en temps.

Moi : Je fais plein de choses, tu sauras ! Je suis même membre du club de plein air.

Tom : Ah oui ! C'est vrai. Vous avez fait combien de sorties jusqu'à maintenant ?

Tom : Une ? Hi ! Hi !

Moi : Qu'est-ce que tu cherches à prouver, au juste ? Que tu es meilleur que moi ?

Moi : Plus gentil ?

Moi : Plus drôle ?

Moi : Plus populaire ?

Tom : Je dirais l'ensemble de ces réponses.

Moi : C'est super intéressant comme conversation, mais ça va s'arrêter là. On se voit demain ?

Tom : Ouaip ! J'ai super hâte au party. Oh ! Dis à ton cavalier de venir me voir s'il trouve le temps long en ta compagnie. Je vais lui présenter une ou deux de mes amies.

Tom : Au fait, comment il s'appelle, déjà ?

CHAPITRE 8

Moi : Bien essayé ! Tu as failli m'avoir.

Tom : Pourquoi tu ne veux pas me le dire ? C'est un secret ou quoi ?

Moi : Pas du tout. Même Eddy est au courant. Demande-lui si tu es si curieux.

Tom : Bien essayé ! Tu as failli m'avoir. 😉

Hi ! Hi ! Hi !

Tom : On se voit demain. *Laila Tov !*

Moi : *Laila Tov !*

Ce qu'il peut être borné, ce Thomas ! Pas moyen de le convaincre de parler à Eddy. Je vais devoir me pencher un peu plus sérieusement sur le sujet. Je n'ai pas l'intention de laisser ces deux-là se faire la gueule bien longtemps.

Mais pas ce soir. Je suis fatiguée. Je passe à la salle de bain pour me brosser les dents, et je me glisse sous les couvertures. Couchée sur le côté, les yeux fermés, j'essaie de me vider la tête de toutes mes questions, de toutes mes réflexions et de toutes mes idées, mais je n'y arrive pas. C'est la fête, là-dedans ! Je repense à la vidéo d'Anna et à ma conversation avec Thomas, je me projette dans le gymnase de l'école, en compagnie de Félix, sans trop savoir encore ce que je vais porter.

Je pourrais laisser aller mes pensées ainsi pendant des heures, si je le voulais, mais il est tard et je veux être en forme demain. J'essaie donc la technique d'Anna. Peut-être qu'en m'inventant une histoire à l'eau de rose, mon cerveau va tellement s'embrouiller qu'il va s'endormir dans le temps de le dire.

Bon, par où commencer…

CHAPITRE 9

Mes rêves éveillés

CHAPITRE 9

— Je t'ai entendue crier, cette nuit, me dit Anna, la tête posée sur son oreiller. As-tu fait un cauchemar ?

— Non…

Était-ce un cauchemar ? Je n'en sais rien. Chose certaine, ce n'était pas un rêve comme les autres. Normalement, avant de m'endormir, je pense voyages, actions communautaires et journalisme engagé. Point. Mais cette fois-ci, je me suis laissé influencer par les paroles d'Anna.

— J'ai rêvé à un gars, dis-je, mal à l'aise.

Mon amie n'a pas besoin d'en entendre plus pour être complètement réveillée. La voilà déjà assise à côté de moi, alors que j'ai encore les yeux collés et que mon haleine dégage un parfum qu'on pourrait gentiment nommer « Douce Putréfaction du matin ».

— Je veux tout savoir ! déclare-t-elle, en se creusant une petite place entre mes fesses et le mur contre lequel mon lit est collé. Qui ? Quand ? Comment ? Combien de temps ?

— Combien de temps ? je répète, bousculée par ses questions sans queue ni tête.

— Combien de temps a duré votre premier baiser ? précise Anna, en tapant dans ses mains, surexcitée.

Je me sens rougir. Et ça, c'est assez étrange comme sensation, parce que je ne suis pas le genre de fille qui rougit, normalement. Mais des images plutôt troublantes me reviennent en tête et j'ai l'impression de replonger directement au cœur de mon rêve. J'ai un peu honte de l'avouer, mais j'étais bien, lovée au creux des bras de ce bel inconnu. Je peux encore sentir la chaleur de son corps contre le mien, la douceur de son souffle, la caresse de ses doigts sur ma joue, le…

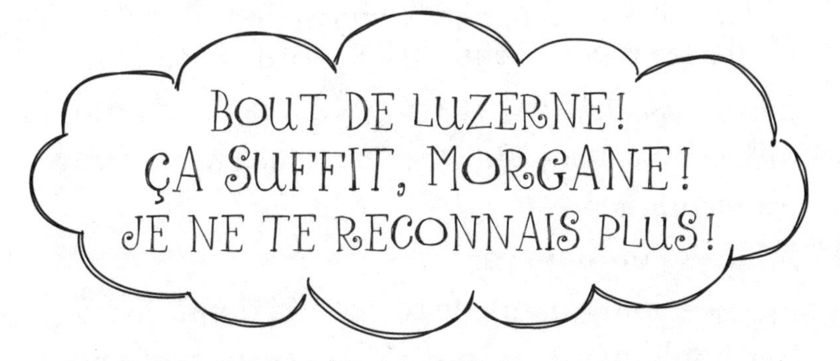

— Hé! s'exclame Anna, en se penchant pour me tapoter la joue avec la main. Je te parle! Tu ne vas pas t'en sortir si facilement! Je veux tous les détails!

En parler va peut-être me faire du bien. C'est elle, la pro, après tout! C'est un peu gênant, mais je lui décris mon rêve en essayant de n'oublier aucun détail. Je lui raconte tout: mon départ pour l'Afrique, mon voyage en autobus miteux sur les chemins de terre battue et mon arrivée dans un village rempli d'enfants au ventre rebondi et aux cheveux crépus. Puis, je lui relate ma rencontre avec Matt, un garçon de mon âge qui a fait le voyage pour aider les plus démunis. Les images sont encore fraîches dans ma tête et je me rappelle très bien nos premières conversations, nos marches au clair de lune, notre premier baiser…

— Wow… C'est une très belle histoire, souffle Anna, tandis que je termine mon récit. Tu as beaucoup de talent, Morgane, ajoute-t-elle, le visage rêveur.

— Je n'ai pas fait exprès, c'était un rêve, dis-je pour me justifier. Je ne tiens pas à ce que ça recommence.

— Pourquoi pas ?

— Souviens-toi de ce que ça a donné la dernière fois que je me suis laissée à ce genre d'émotions. J'ai eu l'air d'une belle tarte en essayant d'embrasser Roméo devant tout le monde.

— Oui, mais cette fois-ci, c'est différent, me fait remarquer mon amie, les yeux brillants. Ton Matt n'existe pas pour vrai. Tu peux faire ce que tu veux !

— Je comprends, mais je ne veux plus me réfugier dans des chimères qui me poursuivent jusqu'au petit matin. Ça m'empêche de bien dormir. Ce n'est pas moi, ça !

— Chimères ? Peux-tu parler normalement, pour une fois, s'il te plaît ? Je ne comprends rien à ce que tu racontes !

— Ce n'est pas grave, dis-je en repoussant mes couvertures pour me lever. On change de sujet, OK ? De toute façon, je dois me préparer.

Les images sont tenaces : elles me poursuivent jusque sous la douche. Même l'eau chaude et le savon à l'orange n'arrivent pas à les nettoyer de mes pensées. Je voudrais qu'elles s'en aillent, mais elles me collent à la peau. Tant pis ! Ce n'est pas ce qui va m'empêcher de passer une belle journée !

* * *

Les heures ont filé à la vitesse de l'éclair ! Je sais très bien pourquoi : j'avais la tête pleine à craquer. Une chance que mes professeurs n'avaient pas accès à ce qui se passait dans mon cerveau, parce qu'ils m'auraient trouvée bien inattentive. Quatre fois plutôt qu'une !

1. Pendant le cours de musique, je me suis penchée sur le cas d'Anna. Bien que j'aime

l'idée de donner un nom à sa chaîne YouTube, je trouve que FLTM, ce n'est pas très gagnant. Elle doit trouver quelque chose de plus original, de plus évocateur, de plus punché. J'ai noté quelques trucs dans mon agenda, je suis sûre qu'elle va adorer.

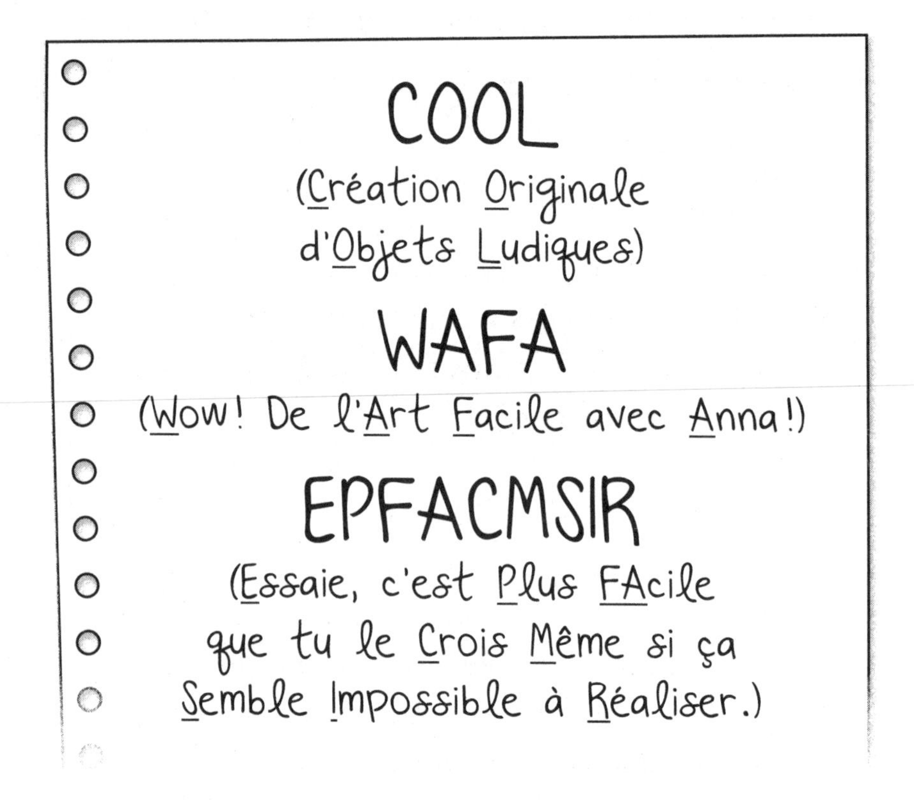

2. Pendant le cours de math, j'ai essayé de trouver un moyen de réunir Thomas et Eddy. Dans les films (et même dans la vraie vie), les gens ont parfois besoin d'un événement

dramatique pour réaliser qu'ils ont été stupides et qu'au fond ils s'aiment fort. Je me suis donc dit que je pourrais provoquer une catastrophe. Pas une grosse… Juste un petit incident…

Empoisonnement? Bagarre?
Incendie? Explosion?

FRANCHEMENT! POURQUOI PAS UN TREMBLEMENT DE TERRE, UN COUP PARTI?

OK. J'exagère un peu, mais je suis convaincue que Thomas a besoin de se faire brasser la cage. S'il doit passer à deux doigts de perdre son meilleur ami pour réaliser à quel point il lui manque, je suis prête à faire ce qu'il faut.

3. Pendant le cours d'anglais, j'ai eu une pensée pour ma mère. Je suis bien d'accord pour aider tout le monde à réaliser ses rêves, mais je ne dois pas oublier la personne la plus importante dans ma vie. Qu'est-ce qui lui ferait

plaisir ? De quoi rêve-t-elle, cette petite maman ? D'une nouvelle voiture? Non, elle s'est toujours contentée de peu en la matière. D'une nouvelle télé ? Elle ne l'écoute presque jamais. De voyages ? D'aventures ? De rencontres ? Oh ! Oui, voilà ! Elle est célibataire depuis si longtemps qu'elle aimerait sûrement se trouver un amoureux ! Tout le monde a besoin de réconfort et de chaleur humaine, et maman est vraiment seule depuis que je suis à cette école. J'ai donc noté ça dans mon agenda :

- [ ] Aider ma mère à trouver la perle rare.

4. Finalement, dans le cours d'éducation physique, j'ai essayé de trouver un moyen pour inciter les élèves à me confier leur rêve — parce que les papiers se font rares dans la fameuse petite boîte rouge —, mais je ne suis pas une pro du basketball, alors j'ai dû rester concentrée pour ne pas me retrouver avec le nez cassé. Quoique… Ça m'aurait donné de belles options de déguisements pour ce soir : boxeuse,

dompteuse de lions, délinquante, gardienne de prison ou acrobate de cirque qui a raté son numéro.

Finalement, le cours se termine sans que je sois défigurée par le ballon, alors je me change et j'attends Anna à la sortie de l'école. Comme elle met quelques minutes à arriver, je ramasse un vieil exemplaire du *No Name* qui traîne au sol et le relis pour une deux cent millième fois.

SPÉCIAL HALLOWEEN !

Le No Name !

Édito

Je ne sais pas si je suis la seule, mais il y a des jours où j'aimerais retourner en arrière et redevenir la petite fille qui allait de porte en porte le soir de l'Halloween pour réclamer des bonbons. C'était la bonne vieille époque, non ? Nos parents nous maquillaient – et ce n'était pas toujours très réussi, on s'entend – et nous accompagnaient dans les rues de la ville, beau temps mauvais temps.

Aujourd'hui, je suis un peu grande pour aller de maison en maison. Déjà l'année dernière, les gens me regardaient avec de grands yeux et un air qui semblait dire : « Laisse ça aux petits ! Tu as fait ton temps, vieille sorcière ! » Hi ! Hi ! Bon, j'avoue, personne ne m'a traitée de vieille sorcière, j'étais déguisée en spaghettis au pesto. ☺ Que nous reste-t-il donc, nous, ados incompris ? Les partys, évidemment ! Et d'après mes sources, le comité organisateur nous a préparé une fête d'Halloween mémorable ! On vous attend donc en grand nombre ce vendredi !

Dans cette édition spéciale du *No Name* d'Halloween, on vous propose un top 10 des meilleurs films d'épouvante, un top 10 des livres les plus glauques, un top 10 des costumes les plus éclatés et un top 10 des recettes les plus effrayantes.

Mais avant, voici quelques histoires qui font vraiment peur !

Je n'ai jamais cru aux esprits et aux revenants. Mais depuis quelque temps, il se passe des choses très étranges chez moi. Ma grand-mère habite avec nous et le soir, elle a l'habitude de déposer son dentier dans un verre d'eau, sur le comptoir de la salle de bain. Eh bien ! Vous n'allez pas me croire ! Quand je me lève la nuit pour faire pipi, le dentier bouge tout seul ! Comme s'il avait des choses à me dire ! C'est tellement effrayant que je ne bois plus d'eau avant d'aller au lit pour être certaine de ne pas avoir à me lever !

Amélie

CHAPITRE 9

L'autre jour, j'étais dans le cimetière avec mes amis. On s'amusait à se faire peur. Quand on est arrivés près de la tombe de mon oncle, on a entendu des voix. Ça marmonnait: « Vous allez tous mourir! » Tout de suite après, une bruine épaisse et glacée nous a enveloppés et un loup s'est mis à hurler. On a détalé dans le temps de le dire! J'ai eu la trouille, vous n'avez pas idée!

Xavier

J'écris des histoires d'horreur depuis que je suis toute petite. Les zombies, les revenants et les esprits n'ont pas de secret pour moi. C'est mon domaine! Mais parfois, les histoires que j'écris se réalisent pour vrai! Je vous le jure! La semaine dernière, une créature poilue que j'ai inventée de toutes pièces est venue me chatouiller les orteils pendant que je dormais! C'était flippant! En tout cas, ça ne me donne plus trop le goût de continuer à noter mes idées. Des plans pour que vous me retrouviez morte dans mon lit!

Andrée-Ann

Séance de tarot

Le tarot est un art divinatoire qui se pratique à l'aide de cartes. Tu as envie de savoir si tu réussiras ton année scolaire ? Si ton équipe de hockey remportera les honneurs au prochain tournoi ? Si l'amour frappera bientôt à ta porte ? Viens rencontrer Fannie à sa table pendant le party d'Halloween. Les cartes n'ont aucun secret pour elle. Elle répondra aux questions qui te hantent et interprétera les événements qui marquent ton existence. C'est un rendez-vous !

Horoscope Spécial Halloween

BÉLIER :

Des idées incroyables jaillissent de ton esprit depuis des lustres. Un déguisement original ? Un projet diabolique ? Donne libre cours à ton imagination. Côté cœur, n'hésite pas à t'affirmer. Si tu penses que ce beau garçon déguisé en *chewing-gum* est fait pour toi, vas-y ! Mais attention ! Tu le trouveras peut-être un tantinet collant ! ☺

TAUREAU :

CHAPITRE 9

Oh ! Anna vient d'arriver ! Elle me fait signe de la suivre jusqu'à l'extérieur. Son père est déjà là, stationné devant la porte.

— Euh... C'est sa voiture, ça? dis-je, impressionnée.

— Oui ! Allez, viens ! me dit mon amie, en m'agrippant par le bras. Il n'aime pas trop qu'on le fasse attendre.

Je m'installe sur le siège arrière de la rutilante Jaguar, tandis qu'Anna s'assoit à l'avant avec son père. Pas de bisou, pas de bonjour. Un simple sourire suivi d'un hochement de tête poli.

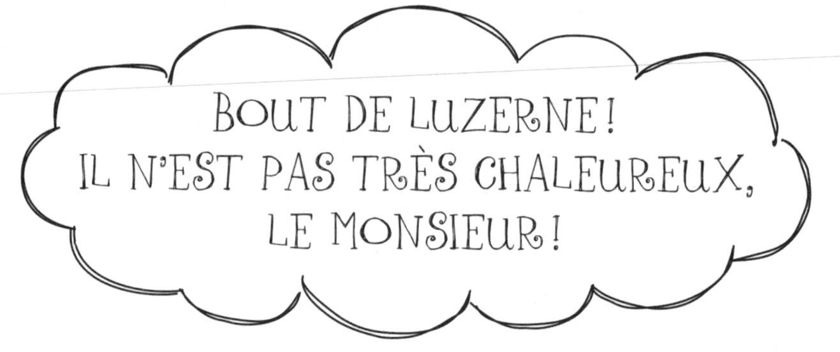

Avant qu'il démarre, je m'avance et lui tends la main entre les deux bancs pour me présenter.

— Bonjour ! Je m'appelle Morgane. Je suis une amie de votre fille.

Le père d'Anna tourne la tête dans ma direction, un peu surpris, et pince les lèvres. On dirait que je viens de lui annoncer qu'il a une maladie incurable. Son visage est fermé comme un coffre-fort et son regard me transperce comme la flèche d'un arc. Si j'étais du genre nerveux, je me sauverais en courant.

Mal à l'aise, Anna marmonne quelque chose qui ressemble à « Qu'est-ce que tu fais ? » mais je l'ignore. Les règles de politesse, c'est pour tout le monde. Ce n'est pas parce que tu conduis une voiture à cinquante mille dollars que tu peux te permettre d'être au-dessus des autres. À moins que ce soit soixante mille dollars ? Soixante-dix ? Cent mille ? Bah ! Qu'est-ce que j'en sais ? Mon point est le suivant : quand on rencontre une amie de sa fille, on fait un effort pour se montrer aimable. C'est tout.

Ma main est toujours tendue. Je n'ai pas bronché d'un iota. Le père d'Anna soupire et accepte ma poignée de main.

— Monsieur Plante, marmonne-t-il, l'air bourru.

Je pousse l'audace jusqu'à lui demander :

— Ravie de vous rencontrer, monsieur Plante. Vous avez un prénom ?

Cette fois, Anna fige complètement. Je crois qu'elle a même cessé de respirer. Qu'est-ce qu'il y a ? Son père ne va quand même pas me battre pour « demande de prénom abusive » ! Je vois bien que ce n'est pas le genre d'homme avec qui je vais pouvoir entreprendre de grandes conversations, et ce n'est pas ce que je souhaite non plus. Mais j'aime bien savoir à qui je m'adresse.

— François, répond-il en lâchant ma main pour démarrer la voiture.

Anna ne semble pas de cet avis. Elle se cale dans son siège et n'ouvre plus la bouche. Ma coloc n'a pas vu son père depuis une semaine (peut-être même deux, je crois qu'il était en voyage, le week-end dernier), et ils n'ont rien à se dire ? Pas de « Comment ça s'est passé à l'école ? » ni de « Je suis content de te voir »…

— En tout cas, monsieur François, dis-je avec enthousiasme, vous avez une fille fantastique !

Aucune réaction. Un clignotant à gauche. Un coup de klaxon. Un virage serré. Je continue :

— Je suis nouvelle à l'école et elle m'a accueillie avec la plus grande gentillesse. Vous savez, on est très proches, toutes les deux. J'imagine qu'elle vous a parlé de moi ?

Au lieu d'une réponse gentille et agréable, monsieur Plante aboie :

— Attache ta ceinture et arrête de jacasser. On est dans une voiture, pas au terrain de jeu.

Bon. Pour la causerie, on repassera. Pour la gentillesse aussi. Je boucle ma ceinture sans rouspéter et j'inspecte le véhicule. C'est vraiment chic, là-dedans. Et c'est aussi très propre. Il n'y a pas un seul grain de poussière. Je pense que monsieur Plante ferait un infarctus s'il entrait dans la voiture de maman. Un gobelet de café vide par-ci, un cœur de pomme par-là... C'est un monde complètement différent !

Le père d'Anna conduit avec une concentration exemplaire. Notre regard se croise à quelques reprises dans le rétroviseur, et chaque fois je lui fais mon plus beau sourire, et chaque fois je vois ses gros sourcils se contracter. Il doit avoir mal à la tête à la longue ! Ce n'est pas très bon pour la santé, tant de rigidité. Est-il toujours comme ça ou est-ce parce que sa fille côtoie une « spéciale » dans mon genre ?

CHAPITRE 9

NON MAIS, HÉ! QUAND MÊME! TU POURRAIS ÊTRE DANGEREUSE AVEC TES BOUCLES D'OREILLES EN FORME DE BLOCS LEGO ET TA VESTE EN FOURRURE D'OURS POLAIRE!

La Jaguar roule pendant quelques minutes sur la route principale et se dirige ensuite vers un quartier cossu très semblable à celui des parents de Thomas. La maison d'Annabelle est la première au coin. Grand cottage, garage double, entrée pavée et aménagement paysager impeccable.

— Wow! C'est vraiment beau, chez vous, monsieur François, dis-je en sortant du véhicule. Ça paraît que vous êtes un Plante, vous avez le pouce vert!

Le père d'Anna m'observe intensément, l'air de se demander si je suis sérieuse. Je l'observe à mon tour et je comprends l'absurdité de mon commentaire. Ce n'est pas lui qui se charge de l'entretien du terrain, c'est évident.

Un seul coup d'œil suffit à comprendre qu'il occupe un poste de haut dirigeant au sein de l'entreprise pour laquelle il travaille: complet-cravate, chaussures cirées, cheveux coupés au millimètre près. Il tient dans sa main une mallette qui contient probablement un ordinateur et des dossiers d'une importance capitale.

ET ALORS? IL PEUT ÊTRE CHEF D'ENTREPRISE ET PASSIONNÉ D'HORTICULTURE, QU'EST-CE QUE TU EN SAIS?

C'est vrai. Je ne dois pas me faire d'idée en fonction de son apparence, mais je l'imagine mal se mettre à quatre pattes dans la terre pour enlever des mauvaises herbes et planter des graines.

Voyant que monsieur Plante ne réagit pas, j'essaie de me reprendre. Loin de moi l'idée de l'insulter ou de le rabaisser. (Et, pour être honnête, les variétés de plantes qui agrémentent sa plate-bande m'intéressent vraiment.)

— Bah! Tout le monde n'a pas le pouce vert, vous savez! Vous direz à votre jardinier qu'il a vraiment du talent. Cette espèce empêche la prolifération des maladies, dis-je en pointant une vivace au feuillage écarlate. C'est un très bon choix, surtout lorsqu'elle voisine cette variété de fleurs.

Monsieur Plante étire le cou. Est-ce qu'il s'intéresse à ce que je lui dis ou est-il seulement en train de se délier les muscles ? Je ne le saurai jamais, car Anna me tire par le bras et m'entraîne de force à l'intérieur. Je n'ai pas le temps de visiter les lieux : on monte l'escalier à toute vitesse et elle nous enferme dans sa chambre.

— Qu'est-ce qui te prend ? s'exclame-t-elle, en refermant la porte bien plus fort que nécessaire.

— Quoi ?

— Tu aurais pu te garder une petite gêne avec mon père !

— Pourquoi ? J'avais bien le droit de me présenter ! Ce n'est pas le premier ministre, quand même !

— Non, mais...

— Mais c'est tout, dis-je, sans lui laisser le temps d'argumenter. Je ne l'ai pas mordu, je ne l'ai pas insulté et je n'ai pas été impolie non plus. On ne va pas en faire un drame. Et laisse-moi te dire une chose...

Anna croise les bras, raide comme un piquet. Apparemment, elle est prête à tout entendre. J'avance d'un pas, je lève les bras dans les airs et je clame :

— Tu as vraiment la plus belle chambre au monde !

Mon amie esquisse un sourire et me fait visiter son immense coin de paradis. Tout est bien pensé, bien organisé. Les couleurs, dans des tons de gris, de mauve et de turquoise, s'harmonisent parfaitement avec les éléments décoratifs. Pour vrai, on dirait une photo de magazine ! Une grande bibliothèque remplie de livres, de photos et de bibelots sépare la chambre en deux. D'un côté de la pièce, son lit accueille une dizaine de coussins de toutes les formes. Le mur est couvert de planches de bois, et un gros luminaire accroché au plafond projette des éclats scintillants sur le mur du fond. De l'autre côté, on retrouve un canapé, un bureau de travail et une série de fauteuils poires. Je me penche pour toucher le tapis qui couvre le sol. Il est tellement doux que j'enlève mes sandales et me couche dessus. Les bras en croix, les orteils enfoncés dans les fibres moelleuses, j'attends qu'Anna vienne me rejoindre. Mais au lieu de cela, elle s'assoit sur le canapé et lance son sac à dos sous son bureau de travail.

— Tu es remplie de surprises, lui dis-je, les yeux fixés au plafond.

— Comment ça?

— Tu ne m'avais pas dit que tu habitais dans un mini château.

— Qu'est-ce que ça aurait changé? Tu m'aurais aimée plus?

— Je ne pense pas. Mais je serais peut-être venue en cachette si j'avais su que tous les membres de ta famille étaient aussi incroyablement beaux.

Anna ne bronche pas.

— Qu'est-ce que tu racontes?

— Tu fais partie des plus belles filles de l'école, dis-je, avec honnêteté. Ton père est bel homme et ton frère…

— Quoi, mon frère? demande Anna, étonnée. Tu ne l'as même pas vu.

— Si c'est le gars qui était dans le salon quand tu m'as traînée de force dans ta chambre, j'ai eu le temps de l'apercevoir. Je l'ai trouvé assez mignon.

Anna plisse le nez et me lance une gomme à effacer par la tête. Mais elle vise vraiment mal et l'objet se retrouve à l'autre bout de la pièce.

— Anthony est trop vieux pour toi, tranche-t-elle dans l'espoir de mettre fin à la discussion. Et il a déjà une blonde.

— Et alors ? Je ne veux pas sortir avec lui. Je dis juste qu'il pourrait bien se faire une petite place dans mes prochains rêves… Il a un côté rebelle que j'aime bien.

Je sais que je me suis juré de ne plus me laisser aller à ce genre de distraction, mais c'est plus fort que moi. Je ferme les yeux et je nous imagine roulant à moto dans les rues de New York, les cheveux au vent. (Parce que, dans mon rêve, on ne porte pas de casque, évidemment. C'est ça, la liberté !) On roule pendant des heures, on serpente à travers les voitures de taxi et on s'arrête à Central Park. On marche main dans la main. Il fait beau, le soleil réchauffe notre peau et on s'installe pour déguster un délicieux pique-nique. Il n'y a que nous deux. Rien d'autre. Pas de devoirs, pas de journal étudiant, pas de party d'Halloween. Oui, Anthony fera un super sujet pour mes rêves…

— Hé ! Es-tu toujours avec moi ? demande Anna, tandis que j'ouvre lentement les paupières, le sourire aux lèvres.

CHAPITRE 9

Mon amie s'est levée et elle agite la main devant mon visage pour me forcer à reprendre contact avec la réalité.

— Depuis quand rêves-tu éveillée ? fait-elle en s'assoyant sur le tapis, à côté de moi.

— Depuis que tu m'as expliqué comment faire.

— Avoir su que tu te servirais d'Anthony, j'aurais laissé faire. Tu me racontes ?

Mon visage s'illumine et je lui donne tous les détails de mon scénario. Anna m'écoute en grimaçant, en plissant le front et en esquissant un sourire ici et là.

— Il n'y a pas à dire, tu es vraiment une grande romantique, constate-t-elle à la fin de mon récit.

— Hein ? Non ! dis-je en m'appuyant sur mes coudes. Je suis loin d'être romantique ! Je ne l'ai jamais été. Je déteste les films à l'eau de rose et les histoires de princesses.

Annabelle ricane un coup et m'explique :

— Pas besoin d'aimer les films de filles pour être romantique, Morgane. Il suffit d'être un peu sensible et d'apprécier les petites attentions.

— Ah ! Tu crois ?

— J'en suis certaine !

Bout de luzerne! Me voilà romantique, maintenant.

Pourquoi? Ça vaut la peine de tenter l'expérience, non? Peut-être que je vais aimer ça.

ET QUOI ENCORE?
NE ME DIS PAS QUE TU AIMES
LES BAINS MOUSSANTS AUX
PÉTALES DE ROSE ET LES
SOUPERS AUX CHANDELLES?

Je ne sais pas, je n'ai jamais essayé. Je t'en redonne des nouvelles.

CHAPITRE 9

Pendant que j'essaie de repousser mon esprit critique dans le petit coin le moins utilisé de mon cerveau, Anthony entre en trombe dans la chambre d'Anna.

— As-tu pris mes écouteurs? demande-t-il en fouillant sur le dessus du bureau.

— Hé! Tu pourrais frapper avant d'entrer! grogne sa sœur.

— Les as-tu pris oui ou non?

— Non! Je les déteste, tes écouteurs! Ils sont beaucoup trop gros. En plus, ils...

— Je te prête les miens si tu veux.

Oups! La phrase est sortie de ma bouche toute seule. Qu'est-ce qui m'a pris? Tout le sang de mon corps décide de me faire honte et de monter directement à mon visage. Ça y est, je suis rouge comme un casseau de fraises! Bout de luzerne qu'il fait chaud! Une chance que je suis assise: sinon, je crois que je ferais la crêpe sur le beau tapis d'Anna. (Je sais que les crêpes aux fraises sont délicieuses, mais ce n'est pas mon objectif de vie à court terme.)

Anthony ne remarque rien de mon inconfort. Il grogne un coup et fait aussitôt demi-tour. Mon sang aussi. Fiou! Je pense que ce dernier a compris qu'il ne pouvait pas rester dans ma tête indéfiniment. Heureusement, parce que ce n'est ni confortable ni très bon pour la santé. Je soupire un bon coup et Anna éclate de rire. Elle rit tellement qu'elle se tient le ventre avec les mains. Ensuite, elle se laisse tomber à côté de moi.

— Qu'est-ce qu'il y a ?

— Tu me demandes qu'est-ce qu'il y a ? dit-elle en s'esclaffant, les larmes aux yeux. Tu ne t'es pas vue ?

— Ben non, je ne traîne pas de miroir dans ma poche, dis-je, piquée.

— Tu étais tellement drôle à voir ! « Je te prête les miens si tu veux », répète-t-elle, d'un ton mielleux. Oh ! Morgane ! Je t'adore ! Tu viens de faire ma journée !

— Bon, bon, bon ! As-tu fini de te moquer de moi ? On a des costumes d'Halloween à trouver !

— Oui ! Attends, je dois reprendre mon souffle. OK. C'est bon. Viens, c'est dans le sous-sol.

CHAPITRE 10
Donnez-moi un N !
FUN
XOXO
CUTE
FUN

CHAPITRE 10

On a un plaisir fou à fouiller dans les boîtes rangées au sous-sol. Annabelle retrouve les déguisements qu'elle portait quand elle était toute petite: une coccinelle, une fée des étoiles, une fée clochette, une fée des dents...

— On dirait que tu as une fixation sur les fées, dis-je en levant une petite robe aux ailes tout abîmées.

Anna s'approche de moi, saisit la robe en douceur et l'approche de son visage pour en humer l'odeur. Elle demeure ainsi un bon moment, le nez enfoui dans le tissu poussiéreux, les épaules basses et les yeux humides. Oh! J'imagine que cette robe lui rappelle des souvenirs, parce qu'elle n'arrive pas à la lâcher.

— Ma mère était déguisée en Amérindienne, cette année-là, m'explique Anna, la voix rauque. Je me souviens, je n'arrêtais pas de me dire qu'un jour je serais aussi jolie qu'elle. Elle avait tressé ses cheveux en longues nattes, qui lui descendaient le long du dos, et elle avait accroché une série de plumes sur le dessus de sa tête. C'était magnifique. Mon père, lui, avait emprunté la salopette et les grosses bottes de mon oncle Claude pour se déguiser en fermier. Il avait même marché dans la boue pour rendre son costume plus réaliste. On avait bien ri parce qu'il était tombé en entrant dans la cuisine et il en avait mis partout.

Entendre Annabelle me raconter son enfance me brise le cœur. C'est une chose de savoir que sa mère est décédée, mais ça en est une autre de se retrouver dans cette maison remplie de souvenirs heureux. Je pose une main dans son dos et lui demande :

— Elle te manque encore beaucoup ?

— Tous les jours, me répond-elle avec un sourire triste. Mais je crois que mon père trouve ça encore plus difficile qu'Anthony et moi. Il était heureux, avant, tu sais… Il souriait tout le temps.

Ça y est, j'ai le cœur brisé. C'est fou comme la douleur et le chagrin peuvent faire des ravages. Monsieur François heureux ? Souriant ? C'est difficile à imaginer. Sa vie ne sera plus la même. Jamais. Alors que je cherche une belle phrase toute parfaite à dire à Anna pour lui remonter le moral, je reçois un message sur mon cell.

Eddy : *Ready ?*

Moi : Pas encore.

Eddy : Qu'est-ce que vous faites ?

Moi : Thérapie sentimentale de la mémoire heureuse.

Eddy : *In french, please !* ☺

Moi : On fouille dans les souvenirs d'Anna. On n'a pas encore trouvé nos costumes.

Roméo : Besoin d'aide ?

Moi : Pourquoi pas ? Vous nous rejoignez ?

Eddy : *Good !* On sera là dans dix minutes.

Moi : Parfait !

— Les gars s'en viennent, dis-je à Anna.

— OK. Je vais aller porter cette boîte dans ma chambre, m'annonce-t-elle en se levant. Je regarderai ça plus tard.

J'esquisse un sourire et suis mon amie des yeux tandis qu'elle monte l'escalier. Elle a besoin d'une minute de solitude, je peux comprendre.

En attendant, rien ne m'empêche de poursuivre ma recherche. La première boîte que j'ouvre contient des jeux de lumières orangées, des décorations de toutes sortes et de grands sacs qui servaient autrefois à la cueillette de bonbons. Aucun déguisement. Je referme donc le couvercle et me tourne vers un grand coffre de bois. Cette fois, ce ne sont pas des articles d'Halloween que je découvre, mais une centaine de photos de familles. Certaines d'entre elles sont plutôt récentes, mais la plupart remontent à plusieurs années : des portraits de jeunesse, des souvenirs de mariage, quelques clichés de voyage ainsi que toutes les photos d'école d'Anthony et d'Annabelle depuis la maternelle jusqu'à la sixième année.

J'aurais envie de fouiller à l'intérieur de ce coffre pendant des heures ! Tout découvrir, tout analyser ! Je suis curieuse, mais je suis encore plus respectueuse. Ce sont leurs souvenirs. Je ne veux pas entrer davantage dans leur vie privée. Mais il y a une chose que je retiens : ils ont déjà connu le bonheur. Peut-être se présentera-t-il à nouveau un de ces jours. C'est ce que je leur souhaite.

Quand Anna redescend au sous-sol, j'ai enfin mis la main sur le bac de déguisements qu'on cherchait. Il y a de tout, là-dedans! Un costume de clown, de vétérinaire, de hamburger, de génie, et plein d'autres. On n'a qu'à choisir!

— Qu'est-ce que tu en penses? dis-je à mon amie, une fois que j'ai enfilé le costume de vétérinaire. Pas mal, hein?

Anna s'approche de moi en souriant. Je ne sais pas comment elle fait, mais elle semble avoir laissé son chagrin et ses vieux souvenirs là-haut, dans sa chambre. Elle est radieuse.

— Oui, mais je pense qu'on peut faire mieux, me fait-elle remarquer en reluquant mon ensemble. On a quand même rendez-vous avec deux des plus beaux gars de l'école! On doit se démarquer!

— Je veux bien, mais mon cavalier a décidé de se déguiser en joueur de football, alors pour me démarquer, je vais devoir crier, klaxonner et éclairer la piste de danse au complet. Toutes les filles vont avoir les yeux rivés sur lui.

— En joueur de football, hein? répète Anna, en se tenant le menton. Je crois que j'ai une idée.

Elle vide le bac de déguisements d'un geste brusque et se met à fouiller dans la pile de vêtements. Elle agrippe un ou deux morceaux, sort de la pièce en courant et revient quelques secondes plus tard avec des pompons rouge et noir.

— Une cheerleader ! s'écrie-t-elle en me lançant les pompons à la figure. Tu vas être une cheerleader ! C'est parfait, non ?

— Euh, je comprends le concept, mais je ne suis pas du genre cheerleader, lui dis-je en secouant la tête. En fait, je dénonce l'image que ça projette dans la pratique du sport.

— C'est un peu ça le but d'un déguisement, non ? Prétendre qu'on est quelqu'un d'autre ? Essaie-le, Morgane, dit Anna sur un ton insistant. Si tu n'es pas à l'aise, on trouvera quelque chose d'autre.

C'est bien pour lui faire plaisir. Sans prendre la peine de me cacher — elle m'a vue plus d'une fois en sous-vêtements — je me déshabille et j'enfile une minijupe de trois pouces de long et un petit top de rien du tout qui me donne l'impression d'être en bikini. Anna me tire par le bras et je me retrouve face à un miroir.

— Pas possible ! dis-je en reculant d'un pas. Je ne vais pas au party avec ça sur le dos !

— Pourquoi pas ? demande-t-elle, en m'empêchant de me sauver. Tu es super hot !

— Je ne suis pas super hot, j'ai l'air d'une dévergondée !

CHAPITRE 10

— Voyons, Morgane ! Tu exagères. Tu dois faire un effort si tu veux impressionner tout le monde.

— Mais je ne veux pas impressionner tout le monde, justement !

— Juste Félix, alors ? lâche-t-elle avec un air coquin.

— Non plus !

Pourquoi ne comprend-elle pas ? Je ne veux pas porter ça ! C'est tout !

— Et moi ? fait-elle, en me regardant de ses yeux piteux. Je ne compte pas ?

— Quoi ? Tu veux que je t'impressionne ? dis-je en échappant un fou rire. Laisse tomber. Je vais là pour m'amuser, pas pour offrir un divertissement qui va à l'encontre de mes convictions les plus profondes.

— Je te dis, toi ! marmonne Anna en baissant les épaules. Tu es vraiment une cause perdue.

— Qui est une cause perdue ?

Ma coloc et moi tournons la tête en même temps et voyons apparaître de drôles de jambes dans l'escalier. Mon premier réflexe est de croiser les bras pour me cacher le plus possible, mais je comprends vite que mon geste est ridicule.

Il me faudrait au moins trente-deux paires de bras pour cacher l'étendue de ma peau qui est à découvert. Et là, ça ferait bizarre, parce que je serais recouverte de bras qui ne sont pas les miens. Je secoue la tête pour chasser cette image étrange de ma pensée et je constate que Roméo et Eddy, déguisés en Astérix et Obélix, me fixent sans gêne, les yeux écarquillés.

— Quoi ? Regardez ailleurs si vous n'êtes pas contents !

Roméo tient son immense ventre à deux mains et marche autour de moi pour faire le tour de ma petite personne. Quant à Eddy, il fait semblant d'essuyer un filet de bave sur son menton. Qu'est-ce qui leur prend ?

— Avoir su…, marmonne Roméo, sans cesser de me reluquer.

— Avoir su quoi ?

— Ben… Avoir su que tu pouvais avoir l'air de ça, explique-t-il en pointant l'ensemble de mon accoutrement, j'aurais dit oui à tes avances, c'est sûr ! Qu'en penses-tu, Eddy ?

— *You're right!* approuve-t-il en hochant la tête. Tu pourrais faire changer d'orientation sexuelle tous les gais de ce monde, habillée ainsi.

— C'est bon, vous n'êtes pas drôles, les gars.

CHAPITRE 10

— Ce n'est pas une blague, fait Roméo, pince-sans-rire. Ce costume te va beaucoup mieux qu'à Eddy, je peux te l'assurer.

— Mais oui, c'est ça, je… Quoi ? Qu'est-ce que tu viens de dire ?

Un étrange tableau m'embrouille la vue.

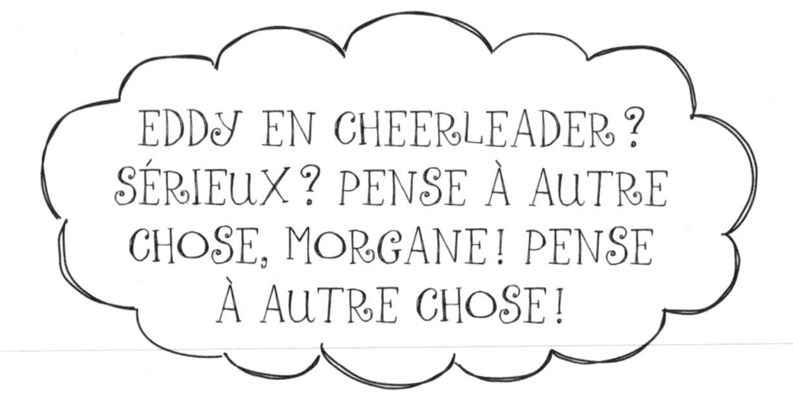

Eddy ne me laisse pas le temps de chasser mon étrange vision. Il prend les pompons dans ses mains — quoi ? Il ne va pas se mettre à danser, quand même ? — et me les tend. Ouf ! Pendant une seconde, j'ai cru qu'il allait nous faire un petit numéro.

— Vas-y, on te regarde, dit-il simplement.

— Vous me regardez faire quoi ?

— Un show, m'explique Eddy, comme si j'allais me mettre à sauter, et à encourager une équipe imaginaire.

— Ça ne va pas ?

— Allez, Morgane ! Juste une fois, lance Anna, insistante. Tu dois te mettre dans la peau de ton personnage : sinon, tu vas trouver la soirée longue.

— Je t'ai déjà dit, et je le répète : je ne vais pas porter ça au party. Je vais trouver autre chose.

— Allez, pour me faire plaisir, lâche Roméo. Une petite chanson.

— Tu es capable ! clame Eddy pour me donner du courage.

— Tu es bonne ! ajoute Anna.

Qu'est-ce qu'ils ne comprennent pas, au juste ? Je ne veux pas porter ce costume. Je ne suis pas à l'aise de me promener à moitié nue devant l'école au grand complet. Qu'est-ce que je dois faire pour qu'ils me laissent tranquille ? Sans plus réfléchir, je lève les pompons dans les airs et je crie :

— Donnez-moi un *N* !

Puis, je lève la jambe droite, je saute en levant les genoux et je tourne sur moi-même.

— Donnez-moi un *O* !

Pour finir, je fais une roulade sans lâcher les pompons et je pose un genou au sol.

CHAPITRE 10

— Donnez-moi un *N*! Qu'est-ce que ça fait ? *Non !* Qu'est-ce que ça fait ? *Non !* Qu'est-ce que ça fait ? *Non ! Non ! Non !* Compris ?

Anna, Eddy et Roméo m'applaudissent avec enthousiasme tandis que je me relève, découragée par leur réaction. Il n'y a rien à faire avec eux ! Je vais tout de suite essayer de trouver un déguisement plus adéquat. Je me retourne dans l'idée de fouiller dans le bac, quand j'aperçois Anthony, un sourire énigmatique au coin des lèvres. Il est là, le dos appuyé à la rambarde de l'escalier, et m'examine de la tête aux pieds.

— Tu me donnes envie de retourner au secondaire, jolie cheerleader ! lâche-t-il, impressionné.

Mes pompons tombent sur le sol. Ma personnalité au grand complet aussi, on dirait bien. Je ne réplique rien. Je reste plantée là à rougir comme une pivoine et à laisser mon cœur galoper comme un fou dans ma poitrine. Bout de luzerne ! Anthony me trouve jolie ! Qu'est-ce que je peux répondre à ça ?

— Oui, toi aussi. Je veux dire, merci. Toi aussi, tu me donnes envie de retourner au secondaire.

Anthony plisse le front et Anna éclate de rire dans mon dos. C'est bon… J'ai compris.

Je suis pathétique. Je tourne sur moi-même pour ne plus avoir à regarder Anthony et je m'éloigne sans ajouter un mot. Eddy et Roméo m'ouvrent leurs bras, l'air de dire : « Viens, qu'on te console, pauvre petite », et m'entraînent un peu plus loin pour m'éviter de me ridiculiser davantage. Si ce n'est pas des vrais amis, ça ! Au bout de quelques secondes, j'entends des pas grimper les marches et monter au rez-de-chaussée. Me voilà sauvée !

Anna se plante devant moi, pose les mains sur les hanches et me demande, d'un air qu'elle essaie de rendre menaçant :

— Qu'est-ce que c'était, ça ? Tu n'es quand même pas en train de tomber en amour avec mon frère ?

— Bien sûr que non !

— Explique, alors ! Parce qu'il y a une marge entre le trouver *cute* et se transformer en guimauve en sa présence.

— J'ai seulement perdu temporairement mon tonus et mes facultés respiratoires parce que j'étais en situation de choc extrême. Ça peut arriver à tout le monde.

Anna pince les lèvres et soutient mon regard. Je ne bronche pas. Elle croise les bras. Je ne bouge toujours pas. Elle enfonce son doigt dans ma joue — qu'est-ce qu'elle fait ? —, alors que moi, j'essaie de garder mon sérieux. Finalement, elle me tape le front avec une de ses paumes et on éclate de rire en même temps.

— Bon! On doit se dépêcher si on veut avoir le temps de manger avant d'aller au party, déclare-t-elle, de meilleure humeur. Viens te choisir un autre déguisement.

— Euh, je crois que je vais garder celui-là, finalement.

CHAPITRE 11

Une maison vraiment hantée

CHAPITRE 11

Tom : Le party est commencé depuis une heure ! Où es-tu ?

Moi : Je te donne un indice : magnifique jaguar.

Tom : Tu es au zoo ?

Moi : Même pas proche.

Tom : En Afrique, alors ?

Moi : Tu me niaises ? Il n'y a pas de jaguars en Afrique, voyons !

Tom : En Asie ?

Moi : Tu me décourages !

Tom : Ben là ! Je n'ai pas le temps de faire une recherche sur Google. On change de jeu !

Moi : Info nº 1 : Les jaguars vivent en Amérique centrale et en Amérique du Sud.

Moi : Info n° 2 : Je suis à l'intérieur d'une Jaguar (la voiture !) et j'arrive dans cinq minutes.

Tom : Dépêche-toi, Félix trouve le temps long sans toi.

Tom : Eh oui, il vient de me dire que c'était toi, sa cavalière.

Tom : Excellent choix, Morgane. Mais grouille ! Il s'impatiente.

Moi : Il s'est passé de moi au cours des quatorze dernières années de sa vie. D'après moi, il peut survivre encore un peu.

Tom : Es-tu avec Anna ?

Moi : Oui. Eddy et Roméo aussi sont là. Il ne manque que toi pour que le groupe soit complet.

Tom : Ça ne risque pas d'arriver.

J'ai un léger mouvement de recul en lisant la réponse de Thomas. Je sais qu'instinctivement je cherche à protéger mes deux amis, l'un à ma gauche et l'autre à ma droite, mais c'est inutile: ils lisent ma conversation depuis le début. Eddy ouvre la bouche pour me souffler un «Laisse tomber!» désintéressé, tandis que Roméo serre les mâchoires sans commenter. Toujours étonnée par le manque d'humanité de Thomas, je réponds, frustrée:

Moi: Qu'est-ce que tu peux être têtu!

Tom: Je ne suis pas têtu, je ne vois juste pas comment on aurait pu rentrer à six dans une Jaguar (à moins de me plier en quatre dans le coffre). 😉

Moi: On peut essayer si tu veux. Je suis super bonne pour faire des animaux en origami.

Moi: Au pire, j'appuie un peu trop fort et je te brise deux ou trois os au passage.

Tom: OK. Mais pas mes fémurs. Ce sont mes préférés.

Hi! Hi!

Moi : Les tibias, ça te va ?

Tom : Parfait ! Au fait, je suis content de voir que ma santé physique te préoccupe à ce point.

Moi : En fait, je m'en fiche un peu. C'est juste que ta santé mentale se détériore de jour en jour, alors j'essaie de sauver le peu qui reste de toi.

À ma droite, Eddy laisse échapper un ricanement. Il semble prendre un malin plaisir à me voir malmener Thomas. C'est peut-être le temps pour une tentative de rapprochement…

Moi : Ed est juste là. Aimerais-tu lui parler ?

Aïe ! Eddy donne des coups de coude plus vite que son ombre ! Mais il va m'en falloir bien plus que ça pour me décourager. Je n'ai pas oublié ma mission : faire en sorte que Thomas et Eddy se réconcilient ! Et ce soir, j'ai le pressentiment que les choses vont enfin bouger.

Moi : Toujours en vie ?

CHAPITRE 11

Tom : La ligne est mauvaise, je t'entends mal ! Scrrr ! Scrrr !

Moi : Tu es un petit comique, toi ! Trouve autre chose !

Tom : Je perds le signal. Déso... Je... pas pu... tantôt... party... bye !

Moi : Si tu éteins, je ne te parle pas de la soirée !

Moi : As-tu compris, Thomas ?

Moi : Hé ! Le mollusque !

Je dois me rendre à l'évidence, il ne me répondra pas. Je lâche un juron qui me vaut un regard réprobateur de la part de monsieur Plante — un de plus, un de moins ! — et me cale dans mon siège jusqu'à notre arrivée. Eddy regarde dehors, la tête appuyée contre la vitre, et Roméo essaie de recoller sa moustache artificielle sur son duvet mal épilé. Quant à Annabelle, elle n'ose pas trop bouger, de peur d'abîmer son costume fabriqué avec des centaines de ballons violets. Je ne sais pas ce qui lui a pris de se déguiser en grappe de raisin. Elle va trouver la soirée longue, c'est moi qui vous le dis !

La voiture arrête en avant de l'école. Pendant qu'Eddy et Roméo aident Anna à s'extirper de son siège, je sors en vitesse, je m'approche de la portière de monsieur Plante et je lui fais signe de baisser sa vitre.

— Merci beaucoup d'être venu nous reconduire, lui dis-je avec un grand sourire. C'est très gentil à vous.

Il hoche la tête et s'apprête à remonter la fenêtre. Je pose une main sur son bras pour arrêter son geste et j'ajoute :

— Je vais prendre soin de votre Anna, je vous le promets. Elle vous appellera quand ce sera le temps de venir la chercher.

— Annabelle dort à la résidence, ce soir, me répond monsieur Plante. Il n'était pas question que je vienne la chercher.

— Oui, c'est ce qu'elle vous a dit, fais-je, l'air innocent. Mais je sais qu'au fond elle aimerait beaucoup passer le reste de la fin de semaine avec vous. Vous ne partez pas en voyage, au moins ?

— Je ne pars pas, non.

CHAPITRE 11

— C'est réglé, alors ! On vous appelle en fin de soirée ! Merci encore !

Je tapote l'épaule de monsieur Plante et je fais demi-tour sans lui laisser le temps de répliquer. Brrr ! Il fait un de ces froids, ce soir ! J'aurais dû me trouver un costume de panda au lieu de ce minuscule bout de tissu. Je m'empresse de rejoindre mes amis dans le hall d'entrée en posant les deux mains sur mes fesses pour m'assurer que ma jupe ne lève pas au vent.

À l'intérieur, un comité d'accueil se charge de nous souhaiter la bienvenue, un groupe d'élèves s'occupe du vestiaire et, d'après ce que j'entends, un DJ fait jouer de la super bonne musique. On va peut-être passer une belle soirée, finalement !

— Qu'est-ce que tu faisais ? me demande Roméo. Qu'est-ce que tu lui voulais, au père d'Anna ?

— Moi ? Rien, dis-je en retirant mon foulard et mon manteau. C'est lui qui voulait me parler. Anna, il aimerait que tu l'appelles à la fin de la soirée.

— L'appeler ? Pourquoi ? demande mon amie, étonnée.

— Pour qu'il puisse venir te chercher.

— Je n'ai pas prévu retourner chez moi, proteste-t-elle, en faisant éclater quelques ballons de son déguisement alors qu'elle essaie d'enlever sa veste.

— Je sais, mais ton père aimerait ça te voir un peu plus souvent.

Anna arrête de bouger et m'observe intensément, l'air suspicieux.

— Ça m'étonnerait qu'il t'ait dit ça.

— Pourquoi ?

— D'abord, parce que mon père n'ouvre presque jamais la bouche. Ensuite, parce qu'il ne tient pas à passer du temps avec moi. Alors, soit tu hallucines, soit tu inventes n'importe quoi.

— Je n'invente rien du tout, dis-je, l'air innocent. Mais tu sais, je suis vraiment un sympathique personnage, alors peut-être que ton père n'a pas pu résister à la tentation de se confier à moi. Tout le monde a besoin d'un ami, tu sais !

Mes lèvres s'étirent en un grand sourire et Anna pouffe de rire.

— Tu es vraiment tout un numéro, toi, quand tu t'y mets !

— Merci !

— Un numéro qui fait du charme au père de son amie ! lâche Roméo en croisant les bras.

Son commentaire me prend tellement par surprise que je m'étouffe avec ma salive.

Je prends le temps de retrouver une respiration presque normale et je questionne mon ami du regard. Mais c'est Eddy qui répond à sa place :

— On t'a vue le caresser pendant qu'on aidait Anna à sortir de l'auto.

— Le caresser ? Hein ? Non, voyons ! Je ne l'ai pas caressé du tout ! dis-je sur la défensive.

— Tu avais une main sur son bras, Morgane. N'essaie pas de le nier, ajoute Roméo, comme si j'étais une dépravée.

— Ben là ! Une main sur son bras ! C'était juste pour être gentille. Vous ne pensez quand même pas que je m'intéresse à monsieur Plante ?

— Il est assez bel homme, ajoute-t-il avec un sourire en coin. On pourrait comprendre si…

— C'est le père d'Anna ! je m'exclame en grimaçant. Il doit avoir au moins quarante ans ! Son frère, OK, peut-être, mais son père, franchement !

Roméo et Eddy ouvrent grand les yeux et lâchent un cri victorieux en se tapant dans la main. Quoi ? Qu'est-ce que j'ai dit ?

— *We knew it !* On le savait ! s'écrie Eddy, un sourire malicieux au coin des lèvres. Tu as un *crush* sur Antho ! Ça se voyait dans ta face.

— Un *crush* ? Non ! Pas du tout ! C'est vrai que je le trouve *cute,* mais on est loin d'une demande en mariage !

Les gars ne m'écoutent pas. Ils sont trop occupés à faire une petite danse dans le corridor. À vrai dire, je ne sais pas si on peut appeler ça une danse. Astérix et Obélix ne sont pas exactement un modèle de grâce et d'élégance quand ils agitent les bras dans tous les sens : ça en est même limite ridicule. Mais bon, c'est drôle ! J'éclate de rire et me joins à eux, sous les regards étonnés des nouveaux arrivants. On se dirige donc vers le gymnase en sautant, en tournant et en valsant de la façon la plus ridicule qui soit, pendant qu'Anna m'observe du coin de l'œil. Mon petit doigt me dit qu'elle n'a pas trop envie que je m'intéresse à son frère. Mais elle n'a pas à s'inquiéter. Je n'ai pas l'intention de rêver à lui trop souvent.

CHAPITRE 11

J'arrête de danser dès que je mets un pied dans le gymnase. Wow ! Je suis vraiment impressionnée ! Les élèves qui ont organisé la soirée ont mis le paquet : des bouquets de ballons orange ont été accrochés aux quatre coins de la salle, des guirlandes pendent au plafond et une lumière noire rend le blanc de nos vêtements absolument éclatant. Le gymnase est méconnaissable avec ses tables remplies de boissons sucrées, de bols de chips et d'amuse-gueules, sa piste de danse, son coin lounge et sa maison hantée.

— Je vais essayer de trouver Greg, m'annonce Anna en disparaissant dans la foule.

— OK. On se voit plus tard.

Je ferais bien de trouver mon cavalier, moi aussi. Félix doit être quelque part en train de danser.

— Veux-tu qu'on te rapporte quelque chose à boire ? me propose Roméo. On va aller faire un tour.

— Non, merci. Je vous rejoins plus tard.

Mes amis s'éclipsent en se tenant par la main. Leur disparition semble calculée à la microseconde près, parce que Félix et Thomas choisissent cet instant précis pour arriver. Je me retrouve donc en face d'un joueur de football et d'un boucher dégoulinant de sang.

Le collier de saucisses que Thomas porte autour du cou est vraiment cool ! Tellement cool, que j'oublie que j'ai juré de ne plus lui parler de la soirée. Je m'empresse de lui demander s'il veut bien me le donner une fois que l'Halloween sera passée. Mais Tom ne me répond pas. Je ne suis même pas sûre qu'il m'ait entendue. J'agite une main devant ses yeux pour le faire réagir et il recule d'un pas, sans cesser de me reluquer.

— Hé ! Qu'est-ce que tu as ? Ça va ?

— Oui, oui, articule-t-il, la bouche pâteuse. Ça va… C'est juste que…

— C'est juste que tu es vraiment, vraiment *hot* ! dit Félix, en s'approchant pour glisser une main dans le bas de mon dos.

Je le repousse aussitôt. Premièrement, parce qu'on ne se connaît pas assez pour qu'il se permette un tel geste et, deuxièmement, parce qu'il n'y a aucun tissu qui sépare sa main de ma peau, ce qui me rend totalement inconfortable.

— Quoi ? me demande Félix, étonné par ma réaction.

— Rien. J'ai hâte d'aller danser, c'est tout, dis-je en lui agrippant le bras. Tu viens ?

Félix retrouve le sourire et Thomas nous regarde nous éloigner sans dire un mot. J'imagine qu'il va retrouver Gabrielle. La piste est remplie de pirates, de superhéros, de Minions, d'animaux de toutes sortes, de danseurs disco et même de trucs inusités tels qu'une salière et une poivrière, un beigne, un tube de dentifrice et une salade César. L'ambiance qui règne dans le gymnase est géniale ! La musique est top, tout le monde est de bonne humeur et les surveillants se font discrets pour nous laisser profiter à fond de notre soirée.

Pour couronner le tout, Félix est vraiment drôle ! Il essaie de danser, mais il n'est pas très doué (et très à l'aise avec son déguisement), alors il fait glisser ses pieds sur le sol et agite les bras dans toutes les directions. Je ne pensais pas qu'il pouvait être aussi bouffon ! Annabelle et Greg viennent nous rejoindre au bout d'un moment et on passe la soirée à rire, à fouler la piste de danse, à grignoter et à s'amuser. Je suis vraiment contente, parce que Greg et Anna ont l'air de bien s'entendre. J'intercepte un bon nombre de sourires et de petits rires complices. Ça me réjouit de voir mon amie si heureuse et je me croise les doigts pour que ça aille un peu plus loin d'ici la fin de la soirée.

Après nous être arrêtés un moment pour reprendre notre souffle, on décide d'aller visiter la maison hantée. Greg et Félix passent devant tandis qu'Anna et moi les suivons de près. Il fait très noir, là-dedans. Et il y a plein de sons étranges. J'ai beau me rappeler qu'il s'agit d'un décor et que les zombies n'existent pas, je ne peux empêcher mon cœur de battre la chamade. Pendant la durée de la visite, je tombe face à face avec une grand-mère défigurée, un chien décapité et un couple de morts-vivants plus terrifiants que tout. Quand j'entends un cri strident retentir, j'ai tellement peur que je cherche la main d'Anna pour la serrer bien fort, mais je ne la trouve nulle part. Je ne vois plus les garçons non plus. Je vais mourir !

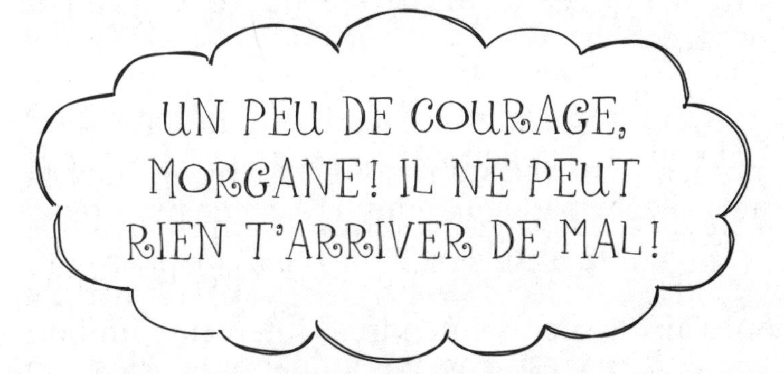

C'est vrai. Je suis quand même dans une école, non ? C'est très sécuritaire, une école.

CHAPITRE 11

Je prends une grande inspiration et je mets un pied devant l'autre dans l'espoir de retrouver très vite la sortie. Je me cogne le nez partout, je me prends les cheveux dans des toiles d'araignée et je trébuche sur des corps inanimés. Quand une créature me pince la taille par-derrière, je hurle au meurtre! Bout de luzerne que j'ai eu peur! La créature enserre ses bras autour de moi et m'entraîne dans un petit coin sombre, à l'abri des regards et des fantômes. Je me débats de toutes mes forces, mais cette chose est beaucoup plus forte que moi. Je suis prise au piège!

— Hé! N'aie pas peur, me souffle Thomas, tandis que j'essaie de me sauver. C'est moi!

— Qu'est-ce que tu veux?

Thomas relâche sa prise et je me tourne pour lui faire face. Une lumière orangée perce dans la noirceur et me permet de voir son visage. Il sourit.

— Rien. J'avais juste besoin d'échapper à Gabrielle, m'explique-t-il, les sourcils relevés. Elle ne me lâche pas deux minutes, je n'en peux plus!

— Et tu avais besoin de me kidnapper pour ça?

— Ce n'est pas un kidnapping, c'est un ravissement.

Thomas me sourit fièrement, comme pour se féliciter d'avoir réussi à placer un beau mot dans sa phrase.

— Et en plus, j'avais envie de te voir, ajoute-t-il.

Je lève les yeux au ciel et m'apprête à m'en aller. Mais Tom me retient par le bras.

— Hé ! Attends !

— Quoi ? dis-je, un brin impatiente.

— Pourquoi tu te sauves ?

— Je ne me sauve pas. Anna va me chercher, c'est tout.

— Attends, Morgane. Je... J'ai quelque chose à te dire.

Thomas se gratte la nuque et penche la tête pour regarder ses pieds. Qu'est-ce qui lui prend ? Il ne se gêne pas pour dire ce qu'il pense, d'habitude. Pourquoi est-il si hésitant ? Peu importe ce qui lui arrive, je me dis que ça doit être important. Je prends donc le temps de l'écouter.

— Je m'ennuie de toi, m'annonce-t-il simplement.

Pas de blague. Pas d'artifice. Je crois que c'est la première fois qu'il m'ouvre son cœur de cette façon. Pour être honnête, je m'ennuie de lui, moi aussi. Sa présence me manque.

Ses messages également. Même si on a recommencé à s'écrire et à se parler plus souvent, il y a des jours où j'aimerais retourner en arrière.

Soudain, je m'en veux. Je réalise que j'ai négligé Thomas. J'étais si fâchée contre lui que je l'ai tenu pour acquis. Lui ai-je seulement demandé à quoi il rêvait ? Non. L'ai-je questionné sur ses désirs, sur ses aspirations ? Non plus. J'étais trop absorbée par mon obsession à faire de lui le parfait ami pour Eddy. Que souhaite-t-il vraiment ? Que peut bien vouloir un gars qui a déjà tout ? Une table de billard ? Un voyage dans le Sud ? Une nouvelle coupe de cheveux ?

J'attends qu'il relève la tête et lui demande :

— C'est quoi ton rêve le plus cher, Thomas ?

— C'est toi, mon rêve le plus cher.

Il a répondu sans prendre la peine de réfléchir. Bam ! Je retrouve mon Thomas et son insignifiance légendaire.

— Arrête de niaiser. Je suis sérieuse.

— Moi aussi.

Je secoue la tête en lâchant un profond soupir. Qu'est-ce que je vais bien pouvoir faire de lui ? Thomas s'approche et braque ses yeux dans les miens. J'essaie de détourner le regard, mais c'est impossible. Je suis prise au piège, comme s'il m'avait enveloppée dans une grande couverture bien chaude. Je n'ai pas envie de bouger. Ni de me sauver.

— Tu es incroyablement belle, ce soir, me souffle-t-il en posant les doigts sur ma joue.

Sa caresse me fait l'effet d'une brûlure. Ma peau s'enflamme. Mon cœur s'emballe. On reste ainsi à se regarder, les yeux dans les yeux, sans bouger, sans parler. Soudain, un cri guttural me fait sursauter. Je crois que Frankenstein vient de dévorer quelqu'un. Merci, Frankenstein, tu viens de me ramener les deux pieds sur terre !

Qu'est-ce qui était en train de se passer, au juste ? Depuis quand Thomas a-t-il le pouvoir de m'ensorceler ? J'avale ma salive et le repousse avec force. Mais il arrête mon geste en saisissant ma main dans les siennes. Son regard est intense. Ses mains sont chaudes. Il n'a plus son air habituel de coureur de jupons : si je ne le connaissais pas, je pourrais presque croire qu'il éprouve quelque chose pour moi. Mais Thomas, c'est Thomas. Et il restera toujours Thomas.

Je me libère donc de son emprise et m'éloigne un peu de lui. Mon regard se porte sur un couple de zombies qui essaie de m'effrayer en me faisant des simagrées. Leur voix rauque et leur visage dégoulinant de sang me laissent indifférente. Je les fixe sans vraiment les voir. Je ne sais même pas qui se cache sous ces déguisements et je m'en fiche complètement. Les bras croisés, la tête droite, j'attends de voir quelle sera la réaction de mon ami. Bientôt, je sens sa présence dans mon dos. Il enroule ses bras autour de mon corps et me parle doucement à l'oreille :

— Qu'est-ce qu'il y a ? me demande-t-il, juste assez fort pour couvrir le son de la musique et des cris.

— Rien.

— Je sais que je te prends par surprise, mais je pense vraiment ce que je t'ai dit. Tu es à couper le souffle.

Bout de luzerne ! Ce n'est pas moi, ça ! Je ne peux pas être bien dans ses bras ! Je ne peux pas avoir envie de rester là pendant des heures ! On parle de Thomas, ici !

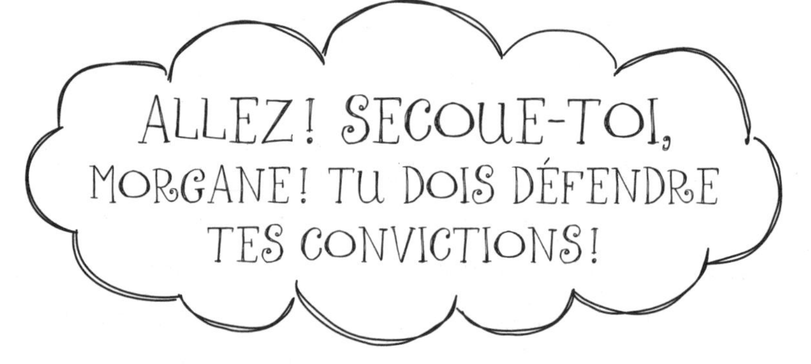

Oui ! Je sais.

Je fais demi-tour et recule d'un pas pour retrouver ma liberté de mouvement.

— C'est bizarre, dis-je, la voix un peu rauque. C'est la première fois que tu me fais un compliment depuis qu'on se connaît.

— C'est la première fois que tu es si sexy ! me répond-il sans détour.

— Va te faire voir !

À son air, on dirait que Thomas ne comprend pas pourquoi j'ai crié. Qu'est-ce qui ne va pas, chez lui ? Pourquoi me regarde-t-il avec cette expression étrange ?

— Qu'est-ce que j'ai encore dit ? demande-t-il, exaspéré.

— Il faut vraiment que je t'explique ?

— Pourquoi pas ? Parce que là, pour être honnête, j'ai du mal à te suivre !

Ses épaules retombent comme un enfant qui vient de se faire gronder. Le pire, c'est que, dans mon for intérieur, c'est un peu ce qu'il est, un enfant. Je me demande si ça vaut vraiment la peine de poursuivre cette discussion.

— Laisse tomber ! Ce n'est pas important, dis-je en balayant l'air avec ma main.

Mais Thomas ne veut pas en rester là.

— Tu n'es jamais contente, Morgane ! lance-t-il, impatient. Sérieux ! Quand je lâche des blagues sur ton look, tu fais comme si je n'existais pas, et quand je te fais des compliments, tu te fâches après moi.

— Premièrement, dis-je en pointant un index dans sa direction, ça ne me fait pas un pli quand tu te moques de mes vêtements, tu le sais bien. Et deuxièmement, tu ne me fais pas des compliments, tu m'as fait un compliment. Nuance.

— C'est mieux que rien, non ? demande-t-il, perplexe.

— Non !

— Comment ça ? C'est quoi, le problème ?

Thomas veut savoir ? Il va savoir !

— Le problème, cher bourreau des cœurs, c'est que tu as attendu que je porte une tenue hyper *sexy* pour me complimenter. Et comme par hasard, c'est aussi ce soir que tu m'annonces que tu veux bien de moi.

— Oui, parce que c'est ce soir que tu m'as demandé ce que je voulais, précise-t-il, mal à l'aise.

— Ce n'est pas moi que tu veux, Thomas, c'est l'image que je projette quand je suis habillée ainsi.

— Tu es injuste, Morgane. Tu racontes n'importe quoi !

— Ah oui ? OK. Jure-moi que tu vas me trouver belle quand tu vas me croiser dans le corridor avec mes leggings fluo et mon t-shirt de langue de chat, lundi prochain.

Thomas essaie de ne pas réagir, mais je vois ses mâchoires se crisper et son nez plisser.

— Voilà ! C'est exactement ce que je disais ! je m'exclame, en appuyant mon index accusateur sur sa poitrine. Tu peux aller retrouver Gabrielle, on n'a plus rien à se dire.

Thomas secoue la tête de gauche à droite sans me quitter des yeux.

— Tu n'as peut-être plus rien à dire, mais moi, je n'ai pas terminé, marmonne-t-il, les yeux baissés. J'ai envie d'être avec toi, Morgane. C'est vrai que je ne suis pas un grand fan de tes vêtements excentriques, mais j'ai appris à te connaître au cours des dernières semaines et ça se pourrait que je sois en train de tomber en amour avec toi. Je crois.

— Tu crois ?

— J'en suis sûr. Enfin, presque. En tout cas, tu me manques, c'est certain.

Thomas est quasiment *cute* avec son air piteux. Dommage que je ne partage pas ses sentiments. De toute façon, il ne pense pas vraiment ce qu'il m'a dit. Il n'est pas en amour avec moi. Ce n'est pas ça, l'amour. On est toujours en train de se disputer. On n'est jamais d'accord sur rien. Et surtout, on est aux antipodes en ce qui concerne le sujet ultra délicat « Eddy et Roméo ». Voilà mon argument coup de poing. Celui qui le fera reculer (et s'enfuir en courant).

— Je ne pourrais jamais sortir avec un homophobe, Thomas. Tu le sais. C'est au-dessus de mes forces.

— Et si je faisais un effort ? propose-t-il, une lueur d'espoir dans les yeux. Est-ce que tu pourrais reconsidérer la question, si je recollais les pots cassés avec Eddy ?

J'ai juste envie de rire. Je sais très bien ce qui va se passer. Il va essayer de parler à Eddy, il va tout gâcher avec son esprit borné et ses commentaires déplacés, et dans le temps de le dire, il va se trouver une nouvelle fille pour occuper ses pensées.

— OK.

— Sérieux ? demande Thomas, étonné.

— Fais ce qu'il faut et on verra.

Comme je termine ma phrase, Félix apparaît dans la lumière orangée, ce qui me donne une idée un peu folle.

— De toute façon, dis-je, l'air désinvolte, je suis déjà prise pour l'instant.

Thomas fronce les sourcils et je lui désigne Félix d'un coup de menton. Ce dernier nous rejoint, l'air de se demander ce qu'on fait encore dans la maison hantée. Sans lui laisser le temps de comprendre ce qui se passe, je m'approche de lui et je plaque mes lèvres sur les siennes.

CHAPITRE 12

État de putréfaction avancée

CHAPITRE 12

Anna : Morgane ?

Anna : Je commence à avoir peur, là ! Sérieux, réponds !

Anna : Dis-moi que tu ne t'es pas fait kidnapper.

Anna : Dis-moi que tu n'as pas été attaquée sauvagement.

Anna : Je te laisse trente secondes pour te manifester. Ensuite, je compose le 911.

Moi : Relaxe ! Je suis en vie !

Anna : Où es-tu ?

Moi : Dans notre chambre.

Anna : Pourquoi es-tu partie sans me prévenir ? Tout le monde t'a cherchée pendant des heures !

Moi : Qui, ça, tout le monde ?

Anna : 1. Eddy et Roméo t'ont envoyé une dizaine de messages.

Anna : 2. Thomas dit qu'il doit absolument te parler.

Anna : 3. Félix ne me lâche pas deux secondes. Il se demande où tu es, et surtout pourquoi tu t'es sauvée tout de suite après l'avoir embrassé.

Anna : 4. Et moi ! Moi, je veux tout savoir ! As-tu vraiment embrassé Félix sans me faire un rapport détaillé ? *My God,* Morgane ! C'est fou ! Tu sors avec un des plus beaux gars de l'école !

Moi : On ne sort pas ensemble.

Anna : Non ? Il faudrait que tu lui dises, alors, parce qu'il n'a pas l'air au courant. Il a déjà changé son statut Facebook de « Célibataire » à « En couple ».

Moi : C'est bien les gars, ça ! Un petit baiser de rien, et nous voilà unis par les liens sacrés de Facebook. Pfft ! Félix ne m'intéresse même pas.

Anna : Il ne fallait pas l'embrasser, alors. Qu'est-ce qu'il y a ? Tu ne le trouves pas mignon ?

Moi : Bof.

Anna : Il n'est pas assez végétarien pour toi ? Pas assez biodégradable ?

Moi : Au contraire, on dirait un sac rempli de déchets organiques.

Anna : Je ne te suis pas...

Moi : Félix a la pire haleine de tous les temps ! Il sent la putréfaction ! Il goûte le compost !

Anna : Ben voyons ! Je n'ai rien senti, pourtant.

Moi : Moi non plus, je n'avais rien senti avant de l'embrasser. À distance, ça va, mais j'ai failli vomir quand il a mis sa langue dans ma bouche.

Anna : C'est si pire que ça ?

Moi : On dirait qu'il se décompose de l'intérieur !

Anna : Qu'est-ce que tu vas faire ?

Moi : Je vais mettre un terme à notre relation.

Anna : Pauvre Félix !

Moi : Comment ça, pauvre Félix ?

Moi : Pauvre moi, tu veux dire !

Moi : Sais-tu à quel point c'est difficile de trouver du persil frais à cette heure-ci de la nuit ? Dans une école, en plus ?

Anna : Euh... Je crois que j'en ai perdu un bout. Qu'est-ce que le persil vient faire là-dedans ? Tu cuisines une sauce à spaghettis ?

Moi : Hein ? Non, voyons ! Je n'ai même pas de chaudron. Ni de cuisinière. Ni de spaghettis, d'ailleurs.

Moi : Tu ne connais pas les propriétés remarquables du persil ? C'est un remède naturel et efficace pour se débarrasser des mauvaises odeurs.

Anna : Ah !

Moi : Ce n'est pas grave. Je te prêterai mon livre sur les effets bénéfiques des fines herbes de l'Amérique du Nord, si tu veux.

Anna : Je passe mon tour. Ça ne m'intéresse pas.

Moi : Comme tu veux. Ne viens pas te plaindre le jour où tu cuisineras une soupe minestrone aussi fade qu'une galette de riz.

Anna : C'est très bon, les galettes de riz ! J'en mange souvent.

Hi ! Hi !

Anna : De toute façon, ne change pas de sujet. On n'a pas fini de parler de Félix. Pourquoi l'as-tu embrassé s'il ne t'intéresse pas ?

Moi : Ah ! Ça, c'est à cause de Thomas. Mais ce serait trop long à expliquer.

Anna : J'ai toute la nuit !

Moi : Toute la nuit, toi ? Laisse-moi rire ! Tu vas t'endormir en textant.

Anna : C'est vrai qu'il est tard… J'ai les yeux qui ferment tout seuls…

Moi : On s'appelle demain ?

Anna : OK. Mais demain, tu me donnes tous les détails !

Moi : Promis.

J'éteins mon cell, mais je le garde entre mes mains. Je sais que je n'arriverai pas à dormir. Pas tout de suite, en tout cas. J'ai la tête tellement pleine que je ne sais plus comment démêler mes pensées. J'aimerais avoir un système de rangement, dans mon cerveau. Vous savez, le genre de bac de plastique rempli de petits tiroirs de couleurs différentes ? Je pourrais ranger les bêtises d'un côté, les bons coups de l'autre. Là où ce serait plus compliqué, c'est en ce qui a trait aux émotions.

Est-ce que je suis heureuse ? Contrariée ? Découragée ? Fâchée ?

Je dirais fâchée… Fâchée contre cette manie que j'ai de me mettre les pieds dans les plats. J'ai déjà joué la carte du faux chum, il y a quelques semaines. Ça a été un fiasco total ! Pedro De La Fantasia ! Quelle idée stupide j'avais eue ! Aujourd'hui, je m'enfonce un peu plus bas en faisant semblant de m'intéresser à Félix. Franchement, je ne sais pas où je suis allée pêcher cette idée.

Était-ce pour contrarier Thomas ? Un peu. Pour le forcer à renouer avec Eddy ? Certainement ! Mais ce n'était pas plus brillant pour autant. Je dois arrêter de me placer dans des situations impossibles. Découragée par ma propre bêtise, je décide d'écrire à Louba et à Yanie. Je sais qu'on est au beau milieu de la nuit et qu'elles ne prendront pas mes messages avant demain, mais j'ai besoin de leurs conseils. Leur point de vue m'est souvent d'un grand secours.

Moi : Allô les filles ! J'ai besoin de votre aide.

Moi : Thomas vient de me faire une déclaration temporaire. (Temporaire, parce que je ne sais pas combien de temps son kick va durer. On parle de Thomas, quand même !)

Moi : J'ai un « coup de cœur » pour le frère d'Anna. Je ne le connais pas, mais je le trouve pas mal *cute*. Et elle, elle ne me trouve pas drôle du tout.

Moi : J'ai embrassé Félix, un joueur de football à l'haleine fétide.

CHAPITRE 12

Moi : *Help !* Je ne sais plus où j'en suis !

Voilà. Je sais que les filles vont halluciner quand elles vont lire leurs messages. J'aimerais être là pour voir leur tête ! La mienne doit être assez drôle également. Il n'y a jamais eu autant de gars dans ma vie en même temps. Normal que je sois un peu étourdie, non ? La bonne nouvelle dans tout ça, c'est que maman vient me chercher demain pour le week-end : alors, je vais avoir du temps pour remettre de l'ordre dans mes idées. En attendant, je ferais mieux d'essayer de dormir.

Tom : Morgane ?

ALLÔ !

Mon cœur fait un bond et met quelques instants à retrouver sa place dans ma poitrine. Qu'est-ce que je fais ? Est-ce que je réponds à Thomas ? Est-ce que je fais comme si j'étais déjà endormie ? Je décide d'attendre la suite.

Tom : J'ai réfléchi à ce qui s'est passé tout à l'heure.

C'est plus fort que moi, je réponds :

Hi! Hi!

Moi: C'est bien de réfléchir de temps en temps. ☺

Tom: Je suis sérieux, Mo. J'ai pris une importante décision.

Moi: Tu me fais peur…

Tom: Disons que tu m'as fait réaliser que je n'avais pas été un très bon ami. Ni pour toi ni pour Eddy.

Moi: Contente de lire ça.

Tom: Je suis prêt à lui pardonner.

Bout de luzerne! Dites-moi que mes yeux me jouent des tours! Il n'a quand même pas écrit ça? Encore une preuve que Thomas a l'esprit aussi étroit qu'un tunnel dans une mine de charbon. C'est noir, c'est froid, et c'est poussiéreux. J'aimerais prendre un tuyau d'arrosage et lui jeter de l'eau à la figure pour le nettoyer de cette crasse qui lui embrouille les idées.

CHAPITRE 12

Moi : Si tu crois qu'Eddy a quelque chose à se faire pardonner, c'est que tu n'as rien compris ! Il n'a rien fait de mal !

Tom : Oui ! Non ! Je sais ! Arg ! Je me suis mal exprimé.

WHAT ?!

Tom : Désolé, Morgane. Ce n'est pas ce que je voulais dire. Je sais que ce n'est pas la faute d'Eddy s'il a ce handicap.

IL N'A QUAND MÊME PAS ÉCRIT ÇA ?

Moi : Handicap ?

Tom : Non ! Attends ! Je ne trouve pas les mots. Cette particularité ? Cette imperfection ? Ce défaut de fabrication ?

Moi : Si c'est une blague, je ne la trouve pas drôle !

Tom : J'essaie vraiment, Morgane ! Mais je n'ai pas le dictionnaire des synonymes imprimé dans le cerveau, moi. Il m'arrive de chercher mes mots.

Moi : Trouve-les vite, parce que je suis sur le point de te balancer au bout de mes bras.

Tom : OK. Je crois que j'ai trouvé. Ce que je veux te dire, c'est que je vais essayer d'accepter sa différence. C'est mieux, ça ? Tu comprends ?

Moi : Bien sûr que je comprends. Je ne suis pas débile !

Moi : Ce qui m'échappe, c'est pourquoi ce n'est pas encore fait ?

Tom : J'ai besoin de temps. Désolé, mais je n'ai pas l'esprit aussi ouvert que le tien.

Tom : Et n'oublie pas qu'Eddy m'a menti pendant des années. Ça compte, ça, non ?

CHAPITRE 12

Moi : À voir ta réaction, je le comprends de t'avoir menti. Mais je suis contente de savoir que tu vas faire des efforts.

Tom : Je suis motivé à le faire.

Moi : Il était temps que tu te motives ! Ton meilleur ami a besoin de toi.

Tom : C'est toi, ma motivation...

Oh ! Je ne l'attendais pas, celle-là. Je ferme les yeux un instant et mes joues deviennent brûlantes à l'endroit où Thomas a posé ses doigts, quand nous étions dans la maison hantée. Je peux encore sentir son odeur dans mon cou. Ses bras autour de moi. Je secoue la tête pour éloigner ce souvenir aussi loin que possible.

Tom : Ça prendra le temps qu'il faudra. Je sais que tu sors avec Félix et je ne veux pas m'en mêler, mais je n'abandonnerai pas non plus.

Moi : Je te connais, tu vas vite changer d'idée. La persévérance, ce n'est pas ton fort !

Tom : Tu risques d'être surprise.

Cette conversation prend une avenue que je n'ai pas envie d'explorer. Je dois y mettre un terme. Il est hors de question que je me laisse chambouler par les promesses en l'air de Thomas. Il est mon ami et ça restera ainsi.

Moi : Je suis épuisée. Je vais me coucher.

Tom : Essaies-tu de changer de sujet ?

Moi : Tu as tout compris. Bonne nuit !

Tom : *Laila Tov.* xx

Moi : *Laila Tov.*

Bye !

CHAPITRE 13

On parle d'hommes et de stars

CHAPITRE 13

C'est une journée comme je les aime. Ce matin, maman est venue me chercher à la résidence. J'ai invité Yanie et Louba à la maison et elles m'ont donné leurs conseils les plus fous.

- Proposer à Félix d'aller faire un tour au lave-auto avec la bouche ouverte pour un grand nettoyage intérieur (l'option savonnage intensif est grandement recommandée).
- Demander à Anthony d'aller vivre dans un autre pays pour éviter de le croiser à nouveau.
- Laisser Thomas m'embrasser afin de me faire une idée de notre degré de compatibilité buccale.

Quand on a eu fini de raconter n'importe quoi, j'en suis venue à la conclusion que mes amies, sans m'avoir réellement aidée, m'avaient au moins fait rire. Je suis donc d'excellente humeur quand elles rentrent chez elles, un peu plus tard.

Je joue ensuite avec Johnny Depp, qui est bien heureux de retrouver notre maison, je nettoie la cage de ma perruche et l'aquarium de mes tortues, je caresse mon chat qui me suit partout dans la maison en miaulant et je lance la balle à mon chien Fripouille avant de retrouver maman dans la cuisine.

Ensemble, nous lavons, épluchons et coupons les légumes qu'elle a achetés au marché afin de préparer la meilleure ratatouille de tous les temps. On parle de tout, on parle de rien. On rit. On se taquine. Maman me donne des nouvelles de ma cousine et de son bébé, de ma grand-mère qui a le rhume, du voisin de droite qui a acheté un nouveau cheval et de l'homme qui est venu réparer le lave-vaisselle.

— Un réparateur de lave-vaisselle ? dis-je, soudainement intéressée. Est-ce qu'il était mignon ?

— Morgane ! lâche ma mère, un vague sourire au coin des lèvres. Pour qui tu me prends ?

— Pour une femme qui est célibataire depuis un peu trop longtemps ! Ce n'est pas très bon pour toi, tant de solitude. Tu devrais rencontrer des hommes, de temps en temps.

— Qui te dit que je ne le fais pas ?

Je lève la tête brusquement — un morceau d'aubergine me glisse entre les doigts — et j'ouvre grand la bouche, estomaquée. Maman me regarde avec un air coquin.

— Quoi ? demande-t-elle en haussant les épaules.

— Pourquoi tu ne m'as rien dit ?

— Parce qu'une mère n'a pas nécessairement envie de partager ce genre d'information avec sa fille, m'explique-t-elle, sans cesser de couper des courgettes. Et que je n'ai jamais réussi à trouver la perle rare… Même que…

Elle dépose son couteau et pouffe de rire. Je suis curieuse :

— Quoi ?

— Disons que le dernier homme avec qui je suis sortie était assez particulier.

— Raconte !

Maman hésite un moment et décide de se lancer. Je ne suis plus une enfant, après tout. Elle s'amuse donc à me décrire les situations les plus comiques vécues lors de ses rendez-vous. Elle a rencontré un homme qui a insisté pour lui montrer sa collection complète de cartes de hockey — il en avait plus de trois milles ! —, un autre qui répétait tout le temps que la vie ne valait pas la peine d'être vécue et le dernier — et non le moindre — l'appelait sans arrêt pour lui réciter des poèmes, même en pleine nuit !

— Oh ! C'est pour ça que tu as changé de numéro de téléphone ? dis-je en lui lançant un morceau d'ail.

— Oui ! m'avoue-t-elle en pouffant de rire. Désolée ! J'aurais dû te le dire. Tu sais, ma colombe, ce n'est pas facile de trouver un homme bien, à mon âge.

— Tu n'es quand même pas si vieille !

— Non, mais je ne suis plus toute jeune non plus. Entre les hommes mariés, ceux qui préfèrent leur liberté, les alcooliques, les bordéliques et les psychopathes, il ne reste plus beaucoup de choix.

— Les psychopathes ?

Cette fois, c'est à mon tour de m'esclaffer.

— Quoi ? demande maman, pince-sans-rire. Ça existe, des psychopathes, tu sauras ! Et je suis devenue sélective avec le temps. Plus question de me lancer dans une relation qui me rend inconfortable !

Elle a raison. Pourquoi entretenir une relation avec quelqu'un, si ce n'est pas pour se sentir bien ? Je suis comme elle. Je préfère me passer d'amoureux au lieu de m'imposer la présence d'un gars. Je repense au père d'Anna et je me dis que c'est sans doute la même chose pour lui. La femme de sa vie est partie à tout jamais. Comment fera-t-il pour trouver une amoureuse à la hauteur ? À part ma mère, je ne connais pas de femme parfaite ! Hi, hi !

CHAPITRE 13

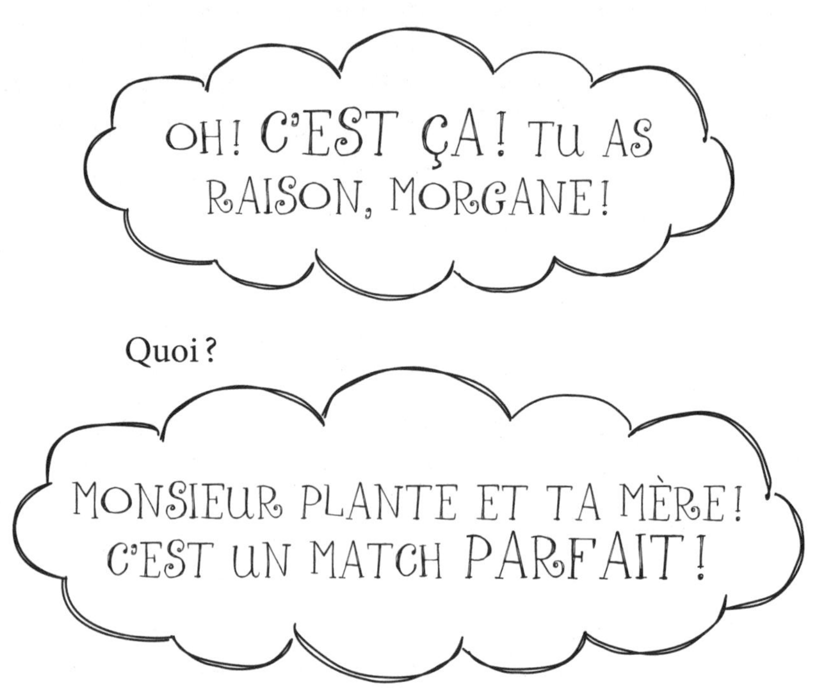

Quoi ?

Mais non, voyons ! Ma mère est joyeuse, dynamique, heureuse. Elle mord dans la vie à pleines dents ! Elle n'a pas besoin d'un homme bougon qui n'arrive pas à aligner deux phrases.

N'OUBLIE PAS QUE LE PÈRE D'ANNA N'ÉTAIT PAS COMME ÇA, AVANT!

C'est vrai. Son deuil l'a vraiment changé. Peut-être réussirait-il à trouver le bonheur s'il tombait en amour à nouveau, qui sait ? En plus, il est assez bel homme (pour un vieux), il gagne bien sa vie, il ne fume pas, il fait du sport, bref, il semble assez équilibré. Ma mère pourrait bien le trouver de son goût si je le lui présentais.

Un sourire s'installe sur mes lèvres. Je nous imagine, habitant tous ensemble dans la grande maison d'Anna. Avec Anthony…

— Bon ! Va mettre ton manteau ! me dit maman en déposant le couvercle sur la casserole. On va dehors !

Pendant que la ratatouille mijote et que le délicieux parfum des épices embaume la cuisine, maman et moi allons ramasser les feuilles orangées qui tapissent la pelouse à l'arrière de la maison. Fripouille court partout. Il est content de jouer dehors. On ne peut pas dire qu'il m'aide vraiment (il détruit mes tas de feuilles dès qu'ils atteignent deux pieds de haut), mais je le trouve très drôle, alors je le laisse faire.

Je me sens bien. J'ai l'impression que le grand air me vivifie l'esprit et remet de l'ordre dans mes idées. Je me suis un peu égarée, au cours des derniers jours, et il était temps que je redevienne moi-même. Je prends donc quelques décisions de la plus haute importance, tout en continuant à râteler. Voici ce que je vais faire à mon retour à l'école :

1. Annoncer à Félix que mon baiser était une erreur.
2. Cesser de penser à Thomas autrement qu'en ami.
3. Éliminer le visage d'Anthony de mon esprit.

Je me sentais parfaitement heureuse quand les garçons étaient loin de mes préoccupations et je compte bien retrouver cette tranquillité émotionnelle. C'est à moi de contrôler mes pensées. Pas à eux !

Satisfaite de mes résolutions, je transporte jusqu'au chemin les sacs que j'ai enfin réussi à remplir de feuilles et j'entre nous préparer un chocolat chaud. Mes joues picotent. Mes orteils sont gelés. Je m'enroule dans une grande couverture et je m'installe au bord du feu que maman vient d'allumer. Mon cell ne tarde pas à se manifester.

Louba : Hé ! Qu'est-ce que tu fais ?

Moi : Chocolat chaud et ratatouille.

Louba : Chocolat chaud : 👍

ALLÔ !

Louba : Ratatouille :

Moi : Et puis, viens-tu dormir à la maison ce soir, finalement ?

Louba : Non. J'ai un souper de famille, je pars dans deux minutes. As-tu demandé à Yanie ?

Moi : Elle ne peut pas non plus. C'est moche. J'ai l'impression qu'on n'en a pas assez profité.

Louba : On va devoir se reprendre bientôt ! Je te laisse, mes parents m'attendent.

Bye !

Moi : OK. Bonne soirée !

Après avoir dévoré deux portions de ratatouille, trempé mon pain dans le fond du bol pour ne rien perdre de la sauce et débarrassé la table, ma mère et moi nous installons devant un film. Mais la chaleur apaisante du foyer et l'après-midi à travailler à l'extérieur ont bientôt raison de ma mère. Elle s'endort avant la fin de l'histoire. Je me lève pour la couvrir, je pose un baiser sur son front et je monte à ma chambre.

Allongée dans mon lit avec Fripouille à mes côtés, je constate très vite qu'Anna a ajouté une vidéo sur sa chaîne YouTube. En tant qu'amie, je devrais être contente de voir que sa créativité se porte bien, mais j'ai un peu peur de ce qu'elle nous présente, cette fois-ci. Qu'est-ce que je fais ? Je la regarde ? Je fais comme si je ne l'avais pas vue ? Impossible ! Je suis abonnée à sa chaîne, ce qui veut dire que je reçois une notification dès qu'elle publie une nouvelle vidéo. Bon… Je n'ai pas trop le choix… J'appuie sur « Démarrer », en me croisant les doigts pour ne pas avoir envie de me sauver en courant.

— Salut, gang ! Comment ça va ? Premièrement, je voulais vous remercier d'avoir été si nombreux à visionner mes vidéos précédentes. Je vous reviens aujourd'hui avec une vidéo un peu spéciale. Comme vous le savez, l'Halloween est terminée et Noël frappe déjà à nos portes. Que diriez-vous de fabriquer vous-mêmes vos cadeaux, cette année ? En plus d'être originaux, ils seront pratiques ! Pour commencer, je vous propose quelque chose d'assez simple: un étui à cellulaire en tricot. Vous aurez besoin d'une pelote de laine de la couleur de votre choix, de…

J'écoute la vidéo jusqu'à la fin et je suis agréablement surprise. Annabelle est mieux préparée que les fois précédentes. Elle a tout son matériel à portée de main, elle parle d'une voix assurée et elle a même procédé à un montage pour couper les scènes superflues et les moments ratés. Elle vient de faire un pas de géant! Je ne peux pas encore dire qu'elle marche dans la cour des grands, mais c'est une nette amélioration. Et sa quantité d'abonnés est impressionnante! Deux cent cinquante? Wow! Déjà?

Seul bémol: le choix de l'activité proposée. Je ne sais pas si je suis la seule, mais je me fiche complètement de savoir comment tricoter un étui pour mon téléphone. Premièrement, parce que ce n'est pas nécessaire (ce n'est pas comme s'il risquait d'attraper le rhume!) et deuxièmement, parce que c'est loin d'être pratique (c'est salissant pour rien). Mais je dois avouer que le résultat est assez mignon. Le modèle proposé par Anna représente un chaton. J'imagine qu'il y a moyen de l'adapter pour lui donner un air de chiot, de lapin, de raton laveur… ou même de furet!

CHAPITRE 13

Comme j'ai l'imagination très fertile et qu'un rien alimente mon esprit légèrement hyperactif, la vidéo de mon amie me donne plein d'idées pour le journal étudiant. Je m'installe donc devant mon portable, les écouteurs aux oreilles et un verre de jus de betteraves à la main (parce que la betterave est reconnue pour ses vertus stimulantes et revigorantes), prête à me mettre à l'ouvrage.

À deux heures du matin, j'éteins mon ordinateur, fière du résultat. Il ne me restera qu'à ajouter les textes d'Anna et d'Eddy, ainsi que le mot de remerciement du comité organisateur de la fête d'Halloween, et le tour sera joué !

Le No Name !

Édito

La plupart des gens qui foulent le tapis rouge lors de grands événements ont rêvé de ce moment une bonne partie de leur vie. Mais tout le monde ne devient pas une étoile du jour au lendemain. Quel est le secret de la réussite, selon vous? Qu'est-ce qui fait que ces gens ont réussi à se bâtir une renommée? Des chansons enlevantes? Une certaine aisance derrière la caméra? Un talent sportif? Des découvertes révolutionnaires? Une présence de quelques semaines à la téléréalité la plus écoutée du pays? Personnellement, l'anonymat me convient à merveille. Je me contente d'admirer ouvertement Lady Gaga pour son audace, son originalité, son immensurable talent et son côté provocateur.

La question que je me pose est la suivante :

ÊTES-VOUS POUR OU CONTRE LA CÉLÉBRITÉ ?

Voici un article qui en dresse les différents stades de progression.

STADE ★

Tu as fait quelques apparitions à la télé ou sur le Web. Il arrive – à l'occasion – qu'on te reconnaisse dans la rue, mais la plupart du temps il s'agit de tes voisins. Ou de ton chien. Tu as le droit de faire des bêtises, d'être malade ou de mauvaise humeur sans que ça fasse la une des revues à potins. Tu as une vie amoureuse relativement privée. Tu peux même te faire bronzer sans ton maillot, tout le monde s'en balance. Les membres de ta famille sont fiers d'avoir « une légende » dans la parenté. Ils représentent probablement ton plus grand fan-club.

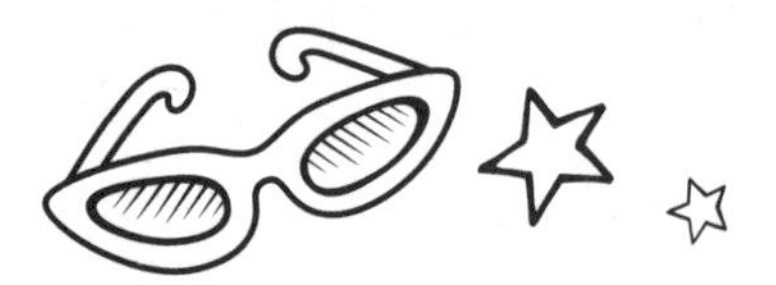

STADE ★★

Tu reçois de plus en plus de messages et de courriels : parfois même des coups de fil à la maison. Tu commences à faire jaser. Les gens veulent savoir avec qui tu sors, depuis combien de temps et pour combien de temps. On te sollicite pour des entrevues, on veut ton autographe, et tes demandes d'amitié Facebook ont littéralement explosé. Maintenant que tu es en vogue, les gens ne se gênent pas pour commenter tes apparitions en public. Tu es leur chose. Tu leur appartiens. Tu n'as plus d'émotions. Et pour certains, tu es un monstre ! Ou même le diable ! Ta réputation ne t'appartient plus. C'est le public qui la gère.

STADE ★★★

Les gens oublient qu'il y a un être humain derrière ton image. Tout ce que tu dis et tout ce que tu fais, et même ce que tu ne fais pas, tout cela est analysé dans les moindres détails. Tu ne t'es pas présenté au téléthon qui soutient les droits des fourmis du Nord? Tu es sans cœur! Tu n'as pas souri à l'inconnu rencontré il y a deux mille ans au coin de la rue? Ça y est! Te voilà raciste, homophobe ou intolérant. Tu as éternué à l'épicerie? Tant pis pour toi! Une photo de ton acte impardonnable sera diffusée sur le Net, accompagnée d'un commentaire désobligeant à propos de ton manque d'hygiène, de ton visage un peu trop crispé ou de ta chirurgie du nez plus ou moins réussie (même si tu n'es jamais monté sur une table d'opération de toute ta vie).

STADE ★★★★

Tu n'as plus besoin de t'acheter de vêtements: les propriétaires des plus grandes marques au monde te demandent de les représenter. Ta résidence est immense: il y a des montagnes russes dans ta cour, ton cinéma maison est plus grand que cette école et tu te perds encore dans les corridors qui relient ta chambre au salon. Tu as ton hélicoptère privé (avec la horde de gardes du corps qui vient avec), tu as ton médecin privé, ton cuisinier privé, ton entraîneur privé, ton jardinier privé, mais tu n'as plus de vie privée. Il n'y a jamais eu autant de gens autour de toi, mais tu ne t'es jamais senti aussi seul.

CHAPITRE 13

Maintenant que vous savez à quoi vous attendre, vous pouvez commencer ! Et pour vous montrer que tout est possible, je vous laisse le lien d'une chaîne YouTube que j'aime bien. Anna-Bella4 est en train de battre des records fracassants de popularité. Allez la voir ! Vous allez l'adorer !

Mais avant, Eddy vous présente les plus intéressantes biographies afin que vous puissiez tout savoir sur vos idoles. Anna, quant à elle, a concocté l'ABC de la notoriété, un outil indispensable à toute personne qui cherche à attirer l'attention. Bonne lecture !

La rubrique littéraire

PRÉSENTÉE PAR EDDY

CHAPITRE 14
Surprise mentholée
FUN
CUTE
XOXO
YOYE
FUN

CHAPITRE 14

Tom : Où es-tu, Morgane ? Je t'ai cherchée toute la matinée.

Moi : Je suis dans le vestiaire des filles.

Tom : Les cours du matin sont finis depuis un moment. Qu'est-ce que tu fais encore là ?

Moi : Je mange.

Tom : Dans le vestiaire ? Pourquoi ?

Moi : Le houmous a bien meilleur goût dans un environnement chaud, humide et qui sent les pieds.

Tom : Euh, non. Le houmous, ça goûte le carton, peu importe où tu te trouves.

Tom : Rejoins-moi à la café, le pain de viande est super bon.

Moi : Très drôle ! Comme si j'allais avaler ça.

Tom : Sans blague, pourquoi tu manges dans le vestiaire ? Tu te caches ?

Moi : Exact.

Tom : De qui ?

Moi : De Félix.

Tom : Pourquoi ? Qu'est-ce qu'il y a, Morgane ? Félix dit que tu ne lui as pas parlé depuis le party. Il t'a envoyé des centaines de messages. Il pense que tu l'évites.

Moi : Mais bien sûr que je l'évite ! Pourquoi tu penses que je reste là ? Certainement pas pour l'ambiance.

Tom : C'est un peu bébé, tu ne trouves pas ? Va lui parler !

Moi : Je sais… Mais je n'ai pas envie de lui briser le cœur.

CHAPITRE 14

Tom : Tu ne veux plus sortir avec lui ? 😏

Hi ! Hi !

Moi : Ne te réjouis pas trop vite. Je n'ai jamais dit que je songeais à le remplacer.

Tom : Dommage. Je connais un beau jeune homme qui se cherche justement une blonde.

Moi : Ce beau jeune homme n'a qu'à sélectionner une fille parmi toutes celles qui bavent à ses pieds. Ce n'est pas le choix qui manque !

Tom : Je n'ai vu aucune bave sur ton visage. 😢

Moi : Fais-toi à l'idée. Il ne se passera rien entre nous tant que tu n'auras pas fait la paix avec Eddy.

Tom : Il y a du progrès de ce côté-là. Je suis assis à sa table.

Moi : Quoi ? Je ne te crois pas !

Tom : Viens voir par toi-même.

Il ne m'en faut pas plus pour que je quitte ma table improvisée — un vulgaire banc de bois rempli de graffitis — et que je sorte du vestiaire en vitesse. J'avance dans le corridor en me posant cinquante mille questions. Les gars sont-ils vraiment assis ensemble ? Sont-ils en train de s'amuser ? De faire des blagues ? Je suis si heureuse que je cours presque, mon sac à lunch dans une main, ma bouteille d'eau dans l'autre. Ma première mission est réussie ! Thomas et Eddy ont réalisé leur rêve ! Je suis trop géniale ! Une partie de moi se demande comment je vais me justifier auprès de Thomas (il est hors de question que je tienne ma promesse et que je sorte avec lui), mais je pousse vite cette inquiétude du revers de la main. On verra ça plus tard !

J'y suis ! Je m'arrête à l'entrée de la cafétéria et mes yeux balaient la pièce en une fraction de seconde. C'est assez calme aujourd'hui. Bien des élèves ont fini de manger, alors la moitié des places sont libres. Ça discute, ça rigole, une employée commence à nettoyer certaines tables, des filles se lèvent pour aller porter leur plateau. Une odeur de pain de viande envahit mes narines.

Eddy n'est pas trop difficile à repérer de loin : il n'y a pas des centaines de Noirs dans cette école. J'avance dans sa direction d'un bon pas, heureuse de le retrouver en compagnie de Roméo et de… Où est Thomas ?

— Tu cherches *something* ? me demande Eddy en levant la tête vers moi.

— Oui, dis-je en tournant le cou vers la droite. Où est-il ?

— Qui ? dit Roméo.

— Thomas, fais-je en regardant vers la gauche.

Eddy ouvre la bouche pour me répondre, mais je suis déjà loin. Et furieuse.

Je me déplace à l'autre bout de la salle en un temps record et me poste devant Thomas, les poings sur les hanches, le regard mauvais. Il laisse tomber sa fourchette dans son assiette, un peu étonné par la gravité de mon air.

— Quoi ? demande-t-il, en avalant sa salive.

— Tu es le plus immature, le plus stupide et le plus menteur des gars que je connaisse !

J'ai craché mes insultes tellement fort que la moitié des élèves de la cafétéria se retournent en même temps. Je me fiche qu'ils m'entendent. Je me fiche de ce qu'ils pensent. J'ai des comptes à régler.

— Menteur ? répète-t-il en croisant les bras. Je ne pense pas, non.

Je m'avance et pose les fesses sur le banc à sa droite. Nos visages se touchent presque, tellement je suis proche de lui. Je veux qu'il me regarde dans le blanc des yeux. Je veux qu'il comprenne qu'on est loin d'être sur la même longueur d'onde, tous les deux.

— Quand tu me disais que tu étais assis à la même table qu'Eddy…

— C'était la vérité, dit Thomas, pour compléter ma phrase.

CHAPITRE 14

Mon front se plisse et Tom lève le bras. Son geste désigne l'immense et interminable table à laquelle il est assis.

— Je n'ai jamais dit que j'étais installé à côté de lui, marmonne-t-il pour que je sois la seule à l'entendre. Mais c'est un début, non ?

Je me lève d'un bond, furieuse. Je me sens comme un volcan sur le point d'exploser ! Un début ? Sérieusement ? C'est tout ce qu'il est capable de faire ? Je ferme les yeux un instant pour éviter de lui crier d'autres insultes et je prends une grande respiration. Inutile de rester ici. Je fais volte-face et je me retrouve nez à nez avec… Félix ! Bout de luzerne ! Ce n'est vraiment pas le moment !

— Ah ! Te voilà ! s'écrie-t-il, visiblement heureux de me voir. Où étais-tu ? Je t'ai cherchée partout !

— Continue à chercher ! dis-je en m'éloignant d'un pas furieux. Tu ne m'as pas vue !

— Hé ! Morgane !

Je m'empresse de sortir de la cafétéria, mais Félix me rattrape presque aussitôt. Il me saisit par le bras pour me forcer à m'arrêter, et je me retourne, piquée au vif. J'ai chaud. Mon cœur bat trop vite. Mon corps tout entier tremble de l'intérieur. Je sais que je lui dois des explications, mais je ne suis pas d'humeur à ça.

— Quoi ?

J'ai crié plus que j'ai parlé. Félix ouvre grand les yeux, éberlué, et recule d'un pas. Il fait bien. Je me sens prête à attaquer !

— Ben…, bafouille-t-il, mal à l'aise. Je voulais juste qu'on parle de vendredi soir. Tu sais, le baiser ? Tu te souviens que tu m'as embrassé ?

— Si je m'en souviens ? dis-je, en émettant un petit rire narquois. Je viens à peine de m'en remettre ! J'ai eu besoin de trois brossages de dents et d'un flacon complet de rince-bouche pour retrouver le contrôle de ma fraîcheur buccale !

— Qu'est-ce que… Hein ?

Je ne laisse pas le temps à Félix de me répondre. Je déguerpis et m'enferme dans la salle de bain des filles dans l'espoir qu'il me laisse tranquille. Quelle journée affreuse ! Quand va-t-elle se terminer ?

Les mains appuyées sur le comptoir, je prends une seconde pour observer mon reflet dans le miroir. Mes joues sont rouges et une petite goutte de sueur coule le long de ma tempe. Pourquoi est-ce que je me mets dans cet état ? Oui, je suis déçue que Tom et Eddy ne soient pas de nouveau amis. Et alors ? Pourquoi en faire un drame existentiel ? Ce n'est pas ma vie, après tout ! C'est la leur ! Je devrais arrêter de m'en faire et baisser mon intensité d'un cran !

Je fais couler un peu d'eau sur mes mains et m'en asperge le visage. Ça me fait du bien. Ça me fouette un peu. Je m'essuie avec un bout de papier et je prends mon cell dans la poche de ma chemise. J'ai besoin des conseils d'Anna. Je sais qu'elle mange avec Greg, ce midi, et je m'étais juré de ne pas la déranger, mais c'est un cas de force majeure. La Troisième Guerre mondiale et ça, c'est du pareil au même. Comme je m'apprête à la texter, je reçois un message de Félix. Qu'est-ce qu'il veut, encore ?

Félix : Ça fait un bout de temps que tu es là-dedans, Morgane. Est-ce que tout va bien ?

Moi : Tu m'attends de l'autre côté de la porte ?

Décidément, je ne suis pas la seule à être intense !

Félix: Je veux m'assurer que tu es OK. Es-tu malade?

Moi: Mais non!

Félix: Es-tu en train de vomir?

Moi: Je te dis que tout va bien!

Félix: Tu n'es quand même pas enceinte, hein? Dans les films, quand une fille vomit, c'est presque toujours parce qu'elle est enceinte.

Moi: Franchement!

Félix: Je m'inquiète, c'est tout. Je ne sais pas pourquoi tu m'évites, alors j'essaie de comprendre.

Moi: Il n'y a pas grand-chose à comprendre. Je suis compliquée.

Félix: Tu peux essayer de m'expliquer. Je suis intelligent, tu sais.

Moi : Trop long par texto.

Je n'aurais pas dû dire ça. Il ne faut pas plus de cinq secondes à Félix pour me rejoindre dans la salle de bain.

— Tu sais que ce sont les toilettes des filles, ici ? dis-je, étonnée par son audace.

Il me fait un sourire en coin et baisse le menton, nerveux. Je dois avouer que je le suis aussi, nerveuse. Je n'ai pas l'habitude d'avoir la langue dans ma poche, mais là, je ne trouve pas les mots. Mon but, ce n'est pas de lui faire de la peine. Comment annoncer à un gars qu'on ne veut rien savoir de lui ?

Oui, eh bien ça, c'est déjà fait, il me semble…

— Écoute, Félix, dis-je pour commencer.

— Avant que tu parles, je voulais m'excuser, lâche-t-il pour m'interrompre.

— T'excuser pourquoi ?

— Je ne savais pas que tu allais m'embrasser, l'autre soir. Tu m'as pris par surprise.

— Alors, c'est à moi de m'excuser, non ?

Félix fixe ses pieds, pousse un emballage de bonbon avec le bout de son soulier et se mord la lèvre inférieure avant d'ajouter :

— Non, ce que je veux dire, c'est que… En fait, d'après ce qu'on raconte, j'embrasserais plutôt bien.

— Ce n'est pas la modestie qui t'étouffe ! dis-je en relevant les sourcils.

— Sans blague. Ce n'est pas pour me vanter, mais les filles sont toutes d'accord à ce sujet.

— Où veux-tu en venir, exactement ?

Félix regarde nerveusement autour de nous, comme s'il avait peur qu'on nous surprenne en pleines confidences.

— L'autre soir, je n'avais pas prévu que tu m'embrasserais. Enfin, oui, j'y avais pensé, mais je croyais que ça se passerait plus tard, vers la fin de la soirée…

Je suis étonnée d'apprendre que Félix avait imaginé une telle scène (avec moi !). Je croise les bras et lui dis, impatiente :

— Aboutis.

— Tu avais raison ! annonce-t-il finalement, le teint rosé. Mon haleine était épouvantable !

J'avais mangé des saucisses à l'ail et j'avais avalé une affreuse potion d'Halloween qu'un de mes amis avait préparée. C'était dégoûtant ! Même moi, j'avais du mal à me tolérer, alors c'est sûr que toi...

— Alors que moi, j'ai dû goûter à ta langue dans ma bouche ! Tu imagines ce que tu m'as fait vivre ?

Félix esquisse un sourire et se retient pour ne pas rire. Je commence par pincer les lèvres, toujours fâchée, puis je me détends un peu en voyant ses yeux brillants de malice.

— Il n'y a qu'un seul moyen pour te faire oublier ça, annonce-t-il en faisant un pas dans ma direction.

— Lequel ?

— Un autre baiser...

Quoi ? Il n'y pense pas sérieusement ? Il veut me faire mourir sur place ou quoi ?

Pourquoi, si je n'en ai pas envie ?

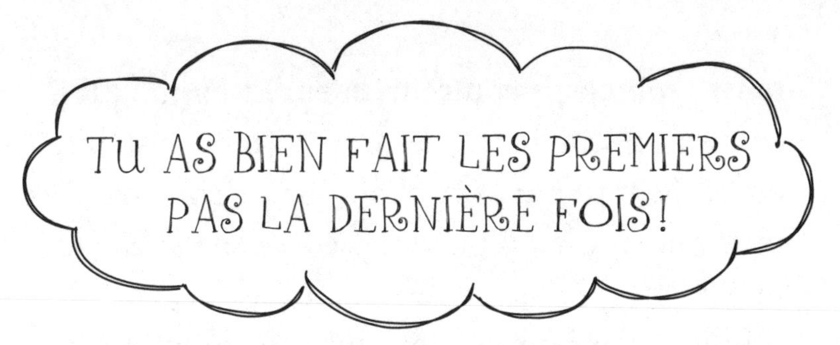

Oui, mais ce n'était pas prémédité. Je voulais prouver à Thomas que je n'ai pas besoin de lui pour être heureuse ! C'est tout ! Je ne vais quand même pas me laisser embrasser par le premier venu — dans une salle de bain ! — simplement parce qu'il a quelque chose à se faire pardonner. Il me connaît très mal s'il s'imagine que…

Félix fond sur moi sans avertissement. Il glisse les doigts le long de ma mâchoire et pose ses lèvres sur les miennes. Je lève une main pour le repousser, mais une incroyable odeur parfumée s'insinue entre nous. J'arrête mon geste, pantoise. Bout de luzerne ! Où est passée son haleine putride ? Pourquoi sent-il si bon ? J'aimerais avoir la force de résister, par principe, mais ma volonté semble s'être effondrée en même temps que ma détermination. Je pousse même l'audace jusqu'à lui rendre son baiser. Qu'est-ce qui me prend ?

Félix ne me lâche pas. Il pose une main sur ma taille, l'autre dans le bas de mon dos, et presse son corps contre le mien. Et moi… Moi, je me laisse emporter. Les yeux fermés, le souffle court, j'enroule mes bras autour de son cou en m'étirant sur la pointe des pieds. Je ne suis plus moi-même. Ça ne me ressemble pas, ce genre de réaction. J'ai l'impression que quelqu'un a pris possession de mon corps. J'aimerais lui dire de s'en aller, de me laisser tranquille, mais la sensation est si agréable que je n'ai pas envie que ça s'arrête.

L'arrivée soudaine d'une jolie brunette met fin à notre symbiose. Elle ouvre la porte, nous aperçoit, fige sur place et se réfugie dans la première cabine à sa droite. Un peu gênée, je recule d'un pas pour me détacher de Félix et je l'attire à l'extérieur des toilettes pour laisser un peu d'intimité à l'intruse. Une fois dans le corridor, Félix prend ma main et déclare, l'air heureux :

— C'était génial, Morgane.

— Tu goûtais la menthe, cette fois-ci.

Ne me mets pas trop de pression ! C'est la première fois que je me retrouve en pareille situation. De toute façon, Félix ne semble pas être beaucoup plus à l'aise que moi. Il émet un petit rire nerveux tandis que je me gratte la nuque. Tiens, je n'avais jamais remarqué les motifs de la tuile qui recouvre le sol de mon école. Carré, triangle, rectangle. Carré, triangle, rectangle…

— C'est parce que je viens de me brosser les dents, m'explique-t-il. Je ne voulais pas faire la même erreur deux fois.

— Merci.

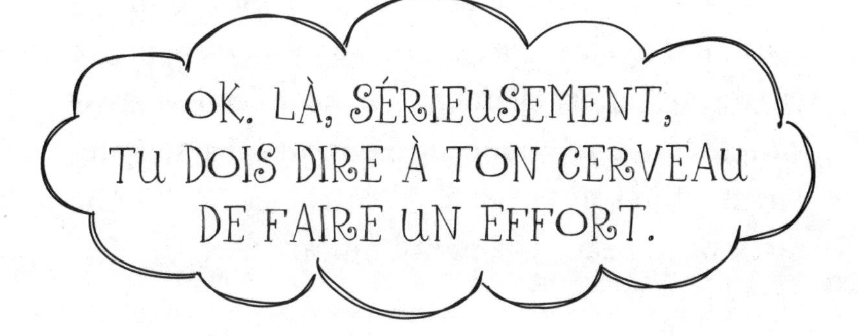

Je sais ! Je ne comprends pas ce qui m'arrive. Je maîtrise l'art de la conversation depuis que j'ai trois ans : je ne peux quand même pas avoir tout oublié en quelques secondes ! Je regarde passer un groupe de filles qui visionnent une vidéo sur une tablette et je murmure, dans un demi-sourire :

CHAPITRE 14

— Avoir su, je me serais brossé les dents moi aussi.

— Ça va, me répond Félix. J'aime bien le houmous.

Et il me fait un clin d'œil. Euh, est-ce que ça veut vraiment dire ce que je pense ? J'ai une haleine de pois chiches ? Je plaque ma main devant ma bouche pour essayer de sentir ma propre odeur et je fronce les sourcils en découvrant que je pue. Non ! Quelle honte !

Félix agrippe ma main, tout sourire, et annonce en rigolant :

— Comme ça, on est quitte !

Je n'y peux rien, je souris à mon tour. Sa réaction m'aide à me détendre un peu et j'arrive à respirer normalement. Je ne m'étais jamais attardée au physique de Félix jusqu'à maintenant, et je suis étonnée de constater qu'il a une très belle peau. Un petit bouton ici et là, mais sans plus.

— Manges-tu beaucoup de fruits et de légumes ?

Félix fronce les sourcils, et un pli apparaît au milieu de son front. Tiens, je n'avais jamais remarqué ce détail non plus.

— Je demande ça parce que l'alimentation joue un rôle primordial dans la régénération des cellules de notre corps, notamment celles de notre visage. C'est ce qui permet à nos pores de se dilater. Et ça permet d'avoir un teint resplendissant de santé.

— Euh… D'accord, bafouille-t-il en penchant la tête sur le côté. Je vais essayer de m'en souvenir. Mais pour nous deux, dis-moi, tu crois que ça peut marcher ?

— Quoi ? Une alimentation équilibrée ?

— Sortir ensemble, fait Félix, vaguement découragé.

— Ah… Ça… Je ne sais pas…

Je me suis toujours dit que le jour où j'aurais un chum, ce serait l'amour fou. Pas question de faire comme la majorité des jeunes de mon âge et de sortir avec le premier venu pour faire des expériences ou pour avoir l'air cool. Et je crois que je peux classer Félix dans la catégorie des premiers venus. On se connaît depuis quelques jours, on ne s'est jamais parlé plus de deux minutes d'affilée et je ne sais rien de lui à part qu'il joue au football, qu'il sent la menthe et qu'il mange des fruits et des légumes. Assez flou, comme relation, non ?

— C'était très agréable, ce baiser dans les toilettes, mais je crois qu'on devrait en rester là, tous les deux.

CHAPITRE 14

Félix pince les lèvres pour cacher sa déception.

— Pourquoi ? demande-t-il, le regard triste.

— Je ne veux pas de chum pour l'instant.

Je me sens un peu coupable, mais c'est la vérité. Le grand amour, ce n'est pas pour moi. Pas tout de suite, en tout cas. J'ai bien vu ce que son baiser m'avait fait, tout à l'heure : c'était génial, mais j'ai complètement perdu le contrôle. Et je ne suis pas particulièrement fan de la perte de contrôle. Je veux rester maître de mes pensées. Prendre mes propres décisions. Sans compter qu'il est hors de question que mes études souffrent de mon incapacité à réfléchir normalement à cause d'une amourette de quelques semaines.

— Comme tu veux, lâche-t-il enfin. Fais-moi signe si tu changes d'idée.

— Promis.

Félix lâche ma main — je n'avais même pas remarqué qu'il la tenait encore — et fait demi-tour, les épaules basses. En le regardant s'éloigner, je ne peux m'empêcher de me demander ce qu'il peut bien me trouver. J'ai un caractère de bœuf, j'ai plein de défauts, je suis compliquée, trop originale au goût de certains, et la moitié du temps, les gens me regardent comme si j'avais choisi mes vêtements parmi les costumes d'une émission de télé pour enfants. Bref, je ne suis pas le genre de fille qui fait tourner les têtes pour sa beauté légendaire, son style impeccable ou sa démarche élégante. Et ça me va. Mais est-ce que ça ira à mon futur partenaire de vie ? Est-ce que je réussirai un jour à trouver quelqu'un qui m'aime vraiment pour ce que je suis, et non seulement parce que j'embrasse bien ou parce que je ne suis pas comme les autres ? Je n'en suis pas si sûre…

Anna : As-tu fini de manger, Mo ?

Je pose les yeux sur mon sac à lunch et lâche un grand soupir. Non, je n'ai pas fini de manger. Les derniers événements m'ont coupé l'appétit : le texto de Thomas, ma course jusqu'à la cafétéria, ma déception de voir que Tom et Eddy étaient assis loin l'un de l'autre, ma montée de lait, ma discussion avec Félix et finalement notre baiser, et le cocktail d'émotions qui s'en est suivi.

Moi : Oui, j'ai fini. Comment c'était avec Greg ?

CHAPITRE 14

Anna : C'était génial ! Oh ! Morgane ! Je crois que je suis en amour ! 🖤😍🖤

Moi : Est-ce que vous sortez ensemble ?

Anna : Ouiiiiii !

Hi ! Hi !

Moi : Bout de luzerne ! Ça, c'est une bonne nouvelle !

Anna : Il est tellement fin ! Et tellement beau ! Et tellement drôle !

Moi : Je suis vraiment contente pour toi ! Je veux tous les détails.

Anna : On a le temps de se voir avant le début des cours. Rejoins-moi au local du journal. Je vais te raconter ça.

Moi : Parfait ! J'arrive.

Anna : En plus, j'ai vu Élizabeth déposer un papier dans la boîte à rêves. Je crois que tu vas avoir ta première vraie cliente !

Moi : Quoi ? Pourquoi tu ne me l'as pas dit avant ?

Anna : Question de priorité. Ma nouvelle était bien plus importante.

Moi : Hum... On pourrait débattre du sujet pendant longtemps.

Anna : Je sais, je te connais ! 😉 Allez, arrive !

Moi : 👍

Hi ! Hi ! Hi !

CHAPITRE 15

L'heure du bilan

CHAPITRE 15

— Hé ! Anna ! Écoute ça.

— Hum ?

Mon amie tourne à peine la tête. Elle est trop appliquée à faire des essais pour sa prochaine vidéo. Elle veut en diffuser une dans laquelle elle expliquera les différentes étapes de fabrication d'un calendrier de l'avent à partir de matières recyclées comme des contenants vides, du papier journal, des boîtes de conserve et de vieux crayons de couleur. Mon côté écolo se réjouit de voir qu'elle a choisi une activité qui respecte l'environnement et qui fait la promotion d'habitudes écoresponsables. Mais la coloc en moi est un peu découragée de voir la quantité de retailles, de bouts de plastique, de pots de colle et de ciseaux qui envahissent notre espace. On dirait qu'un ouragan de catégorie 5 est passé dans notre chambre !

Mais bon. Je ne suis pas là pour briser les rêves d'Anna, je suis là pour l'aider à les réaliser. Je fais donc semblant que son désordre ne me dérange pas et je me consacre à mes petites affaires, c'est-à-dire un récapitulatif de mes interventions. Comme mon amie ne m'accorde pas la moindre attention, je m'éclaircis la voix et je lis bien fort :

Il s'est écoulé quelques semaines depuis que Kate Mackenzie m'a fait prendre conscience de l'importance des rêves. Je me suis donné pour mission d'inviter les gens autour de moi à me confier leurs plus grandes aspirations afin que je les aide à les réaliser. Aujourd'hui, je dresse un récapitulatif de mes actions.

1. Mon amie Anna souhaite devenir célèbre. Son projet est bien entamé, puisqu'elle a déjà publié quelques vidéos et que sa chaîne Anna-Bella4 compte plus de mille abonnés. Une ascension fulgurante qui n'aurait pas été possible sans mes bons conseils et sans mes commentaires constructifs. Mission en voie de réussite !

2. Thomas n'a pas beaucoup évolué. Je vois qu'il essaie de faire des efforts, mais je doute que ses motivations soient justifiées. J'aimerais qu'il se rapproche d'Eddy parce qu'il lui manque, et non pour me prouver qu'il peut changer. Mais c'est un début. Je continue à le cuisiner.

3. J'ai reçu un message d'une certaine Élizabeth qui voulait que je l'aide avec son rêve : chanter en duo avec Séléna Gomez. Ouf ! Méchant contrat, non ? J'ai écrit sur la page Facebook de Séléna, j'ai publié une vidéo d'Élizabeth en train de chanter, j'ai envoyé une lettre au gérant de la chanteuse (dans un anglais approximatif, on s'entend !) et maintenant, il ne reste plus qu'à attendre. La magie d'Internet fera peut-être des miracles !

4. Je n'ai toujours pas reçu de demande officielle de la part d'Eddy et de Roméo, mais je suis sûre qu'ils veulent prendre le temps de bien choisir leur rêve.

5. J'ai des idées plein la tête en ce qui concerne ma mère. Je suis convaincue que j'ai trouvé un homme très bien pour elle, mais je ne veux pas brusquer les choses. Je dois me montrer subtile, délicate et surtout faire comme si je n'avais rien manigancé du tout. D'ici la fin de l'année, maman et monsieur Plante se verront dans leur soupe, j'en mettrais ma main au feu.

6. Finalement, j'ai réussi à aider Clément, un gars dans mon cours de math. Il voulait à tout prix

Je m'apprête à finir ma phrase, quand Anna m'arrache violemment la feuille des mains.

— Hé! Qu'est-ce qui te prend? dis-je, en tournant la tête vers mon amie.

— Est-ce que j'ai bien entendu? s'exclame-t-elle, les yeux ronds et les joues couvertes de brillants. As-tu dit « monsieur Plante » ?

— Euh, oui. Je croyais t'en avoir parlé. Ton père et ma mère sont faits pour être ensemble, ça crève les yeux!

Pour toute réponse, Anna chiffonne le papier et le lance dans sa poubelle déjà pleine à craquer. Johnny Depp saute en bas de mon lit et s'amuse avec la boulette, pendant que ma coloc retourne s'asseoir sans dire un mot. Elle veut me faire croire qu'elle travaille sur son projet, mais c'est faux. Ses bras sont immobiles. Son corps est tendu. Je vois bien qu'elle est bouleversée, et c'est ma faute. J'ai été maladroite. J'aurais d'abord dû lui parler de mon idée, tâter le terrain, discuter de tout ça avec elle.

— Anna…

— Je ne veux pas t'entendre, murmure-t-elle, les épaules voûtées.

Elle replace une mèche derrière son oreille et installe ses écouteurs. Dès la première note, je comprends qu'elle a choisi sa musique de flûte de Pan.

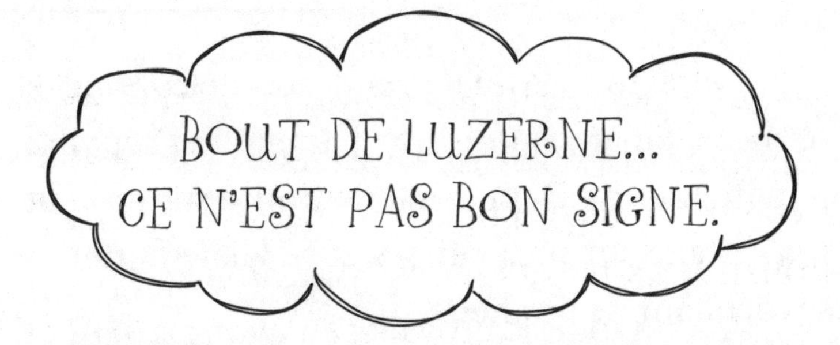

Comme je ne suis pas du genre à abandonner une amie en détresse, je débranche mon cell et je lui envoie un message tout simple.

CHAPITRE 15

Moi : ♥

Toujours assise à sa table de travail, Anna pose les yeux sur son téléphone. Aucune réaction. Je continue.

Moi : Je m'excuse, Anna. Je ne voulais pas te brusquer.

Moi : Tu sais comment je suis. Je ne réfléchis pas toujours avant de parler.

Moi : Ne m'en veux pas, s'il te plaît.

Moi : J'aurais dû te consulter.

Cette fois, Anna prend son téléphone et se met à taper. Tandis que j'attends sa réponse, j'invite Johnny Depp à me rejoindre sur mon lit. Il s'installe sur mes cuisses et se laisse flatter en se tortillant de bonheur.

Anna : Ça n'aurait rien changé. Mon père n'est pas prêt à voir d'autres femmes.

Moi : C'est lui qui n'est pas prêt ou c'est toi ?

Anna se retourne et me fusille du regard. Elle pourrait me crier par la tête, me traiter de tous les noms et se défouler sur moi, mais, au lieu de cela, elle fait aller ses doigts sur l'écran de son téléphone.

Anna : Pour qui tu te prends ? Tu ne connais rien de notre histoire !

Moi : Je pense quand même que j'ai raison. Tu ne veux pas que ton père remplace ta mère. Ça te fait peur.

Anna : Bien sûr que ça me fait peur ! Je ne veux pas qu'il soit blessé à nouveau. Il a déjà tellement souffert !

Moi : Et toi ?

Anna : Quoi, moi ?

Moi : Tu as souffert aussi, c'est certain. Tu as perdu ta mère. Elle est morte sous tes yeux !

Moi : C'est normal que tu cherches à te protéger. C'est un mécanisme de défense tout à fait humain.

Anna : Bon, tu es psychologue, maintenant ?

Moi : Je ne suis pas psy, mais j'en ai consulté plusieurs au cours des dernières années, alors je sais de quoi je parle.

Anna : Toi ? Tu as consulté des psychologues ? Tu n'es pas folle, pourtant.

Moi : Laisse faire tes préjugés, Anna. Les psys, ce n'est pas pour les fous.

Moi : Personnellement, ça m'a fait beaucoup de bien. Ça m'a permis de remettre de l'ordre dans mes idées.

Anna : Tes idées sont en ordre ? Toi ? Permets-moi de m'étouffer !

Hi ! Hi !

Moi : Très drôle !

Anna : Sérieusement, tu avais besoin de parler de quoi ?

Moi : De mon père, pour commencer.

Anna se trémousse sur sa chaise. Je crois que je viens de la surprendre. Je ne parle jamais de mon père et je vis plutôt bien avec son départ, mais il y a tout un chemin derrière cette résilience.

Moi : J'étais très en colère après lui quand j'étais plus jeune.

Anna : Pour vrai ?

Moi : Oui. J'en ai même voulu à ma mère.

CHAPITRE 15

Moi : Un jour, je lui ai dit que c'était sa faute s'il était parti. Je l'ai accusée de ne pas avoir été assez belle, assez gentille, assez attentionnée. Je lui ai dit que c'était pour ça qu'il nous avait abandonnées.

Anna : Oh !

Moi : Oui, comme tu dis. 

Moi : Ensuite, j'ai porté tout le blâme sur mes épaules. Je me suis dit que j'avais peut-être été un bébé difficile et que mon père n'avait pas supporté ma présence.

Moi : Peut-être que j'avais crié trop fort, que je l'avais trop réveillé la nuit, que j'avais trop souvent fait caca…

Anna : Voyons, Morgane ! C'est comme ça, les bébés.

Moi : Oui, maintenant, je le sais. Je comprends que rien de tout ça n'était ma faute.

Moi : Mon père voulait partir, alors il est parti. Point. Rien n'aurait pu changer ça.

Moi : C'est pareil avec ta mère. Tu n'aurais rien pu changer.

Anna lâche un grand soupir. Elle se lève de sa chaise et vient s'asseoir à côté de moi, sur mon lit. Johnny Depp s'empresse de grimper sur ses genoux, et ma coloc essuie une larme au coin de son œil avant d'écrire :

Anna : Elle me manque tellement !

Moi : Oui, j'imagine.

Anna : Tu avais raison, tout à l'heure. Je crois que je ne suis pas prête à voir mon père avec une autre femme.

Moi : Es-tu prête à le voir heureux ? Es-tu prête à le voir rire à nouveau ?

Anna : Évidemment.

CHAPITRE 15

Moi: Alors, permets-lui de tomber en amour.

Anna pose la tête sur mon épaule. Je lâche mon cell et j'entoure mon amie avec mes bras. Un peu jaloux, Johnny Depp grimpe sur ma tête et émet un couinement pour attirer notre attention, et on éclate de rire.

— OK, déclare Anna, la voix un peu plus joyeuse. Il mérite le bonheur, lui aussi.

— Bien parlé! Il va super bien s'entendre avec ma mère, tu vas voir!

Nous passons les minutes — ou plutôt les heures — suivantes à déblatérer sur l'amour. On imagine les scénarios les plus abracadabrants pour réunir nos deux parents (j'aime particulièrement celui dans lequel notre maison est infestée de rats, nous obligeant à loger chez Annabelle pendant quelque temps), on fait le point sur nos coups de cœur (Anna me raconte son dernier rendez-vous avec Greg tandis que je lui raconte une fois de plus ma rencontre avec Félix dans les toilettes des filles), et on essaie de nous imaginer dans dix ans, dans vingt ans et dans trente ans.

Évidemment, Anna se voit mariée avec un homme quasi parfait: elle a trois beaux enfants et occupe un poste important au sein d'une grande entreprise. Quant à moi, c'est un peu plus nébuleux. Je fais le tour du monde, je rencontre plein de gens, j'ai des projets et des rêves plein la tête.

En fin de soirée, Anna termine sa vidéo pour sa chaîne YouTube, range son matériel et m'aide à apporter la touche finale au dernier numéro du journal étudiant. Thomas est très occupé avec ses entraînements de hockey et de football, ces temps-ci, alors il n'écrit plus de façon régulière dans le *No Name*. Mais il lui arrive quand même de nous envoyer les résultats sportifs des différentes équipes de notre école. Même si c'est loin d'être mon sujet préféré, je dois faire un effort une fois de temps en temps.

Le No Name !

Édito

Nos sportifs sont en feu ! Que ce soit en natation, au basketball, au soccer ou au football, nos Cougars font preuve de courage, de vitesse et d'agilité. Ils ont du mordant ! De vrais félins sauvages ! Ce numéro contient une compilation des résultats sportifs de toutes nos équipes. Vous allez voir, il y a du talent dans cette école !

Mais avant de parler sport, parlons un peu de votre santé. Hé oui ! L'hiver est à nos portes et la saison du rhume, de la grippe et des nez morveux est commencée. Y survivrons-nous ? Probablement ! Parce qu'un bon vieux rhume, c'est désagréable, mais ce n'est pas la fin du monde. Il suffit de savoir en tirer profit. Eddy vous propose ses choix de « livres réconfortants » à lire avec une couverture et un chocolat chaud, tandis qu'Annabelle vous présente votre horoscope « spécial hiver ». Quant à moi, je vous fais part de mes petits trucs personnels.

Vous êtes malades ?

Profitez-en pour vous faire dorloter. Personnellement, j'aime bien être mal en point, une fois de temps en temps. Je mange de la soupe, j'écoute la télé toute la journée, je flâne dans un bain chaud avec des chandelles (et de l'huile d'eucalyptus et de romarin, évidemment !) et surtout... surtout ! je peux dormir tant que je veux. La belle vie, non ?

Les gars, je sais que votre vie est un enfer quand vous êtes malades. Parce que tout le monde sait qu'une grippe d'homme, c'est beaucoup plus pénible qu'une grippe de femme (hum ! hum !). Mais ne vous laissez pas abattre. Ça ne sert à rien de râler, de vous plaindre sans arrêt ou de vous rouler en boule pour pleurer en silence. Votre vie n'est pas finie ! Dans une semaine, vous allez être sur pied et redevenir la personne désagréable que vous étiez avant.

Vous voulez des trucs pour vous en sortir sans trop de dommages ? Voici ma liste de remèdes personnels. Évidemment, ils sont tous biologiques, écologiques, sans produits chimiques ni colorants artificiels.

Buvez beaucoup ! De l'eau, du bouillon de légumes maison, du jus de fruits pressés à la main, des smoothies à la luzerne et au chou rouge, et des infusions de plantes. (*Voir les recettes à la fin du journal.*)

2. Dormez. Le plus possible. Simple et efficace.

3. Restez chez vous! Pour vrai! Ça n'impressionne personne un nez qui coule, un «atchoum!» à toutes les deux minutes et une fièvre intense. *Vous êtes contagieux*, bout de luzerne! On ne veut pas vous voir, c'est clair?

4. Pour terminer, je vous propose un cataplasme à l'argile verte et à la boue noire de l'Orient. Étendez-le sur votre poitrine pendant une heure et votre toux disparaîtra instantanément. Pour ce faire, vous devez mélanger, dans un bol, une tasse de mélasse, deux cuillérées à soupe de

CHAPITRE 16
Coup de fumée

CHAPITRE 16

Mercredi matin. La semaine est bien entamée. Plus que trois jours de cours et je pourrai faire la grasse matinée. C'est un peu ce qui m'aide à me lever, ces temps-ci : savoir que je pourrai bientôt paresser au lit pendant des heures. Mais avant, je dois aller en classe, je n'ai pas vraiment le choix.

Encore une fois, je suis un peu à la traîne. J'ai reprogrammé mon alarme trois fois, ce qui fait qu'il ne me reste que cinq petites minutes pour sortir de la douche, m'habiller, me coiffer, manger et préparer mon sac. J'ai comme l'impression que certaines de ces étapes devront être faites à la va-vite !

Je m'apprête à rincer la mousse bleutée de mes cheveux — j'ai changé la couleur de mes mèches hier soir — lorsque j'entends un son strident à travers la porte de la salle de bain. Au début, je me dis qu'Anna est en train d'écouter un film, mais je me souviens vite que ma coloc est partie rejoindre Greg depuis un moment déjà. Qu'est-ce que c'est, alors ? On dirait... On dirait une alarme d'incendie.

Qu'est-ce que je dois faire ? Je suis toute mouillée, je suis nue et j'ai du shampooing plein la tête !

C'est vrai ! C'est pourtant évident ! Le cœur bondissant et les mains tremblantes, j'arrête la douche et j'agrippe ma serviette accrochée au mur. Tant pis si je dégouline partout ! Je dois sortir d'ici au plus vite ! J'enroule la serviette autour de moi et j'ouvre la porte de la salle de bain. Oh ! L'alarme est encore plus stridente de ce côté ! Je me bouche les oreilles avec les mains, laissant ainsi ma serviette tomber au sol. Bon. Je dois me ressaisir !

La robe de chambre d'Anna sera parfaite ! Je l'enfile en un rien de temps et me dirige vers la porte, prête à quitter la pièce. Mais je stoppe net avant de toucher la poignée. Johnny Depp ! J'ai failli l'oublier ! Je me mords la lèvre — quelle mauvaise maîtresse, je fais ! Un peu plus et je le laissais brûler vif ! — je tourne sur moi-même pour essayer de le trouver. Il n'est pas sur son petit tapis. Il n'est pas sur un des lits non plus.

— Viens, mon beau ! dis-je à mon animal, assez fort pour couvrir le bruit de la sirène. Ici, Johnny Depp !

Je m'agenouille au sol et l'aperçois enfin, sous le lit d'Anna, recroquevillé, apeuré. Je tends une main pour l'inviter à me rejoindre, mais ma petite boule de poil refuse de bouger. Et moi, je refuse de l'abandonner. L'idée de laisser mon Johnny Depp se faire dévorer par les flammes me donne la chair de poule. Allez ! On doit se dépêcher ! Dans un élan de détermination, je me lève, je tire sur le lit de toutes mes forces pour le décoller du mur et je me glisse dans la petite ouverture ainsi créée. Content que je vienne à sa rescousse, Johnny Depp saute sur ma main et se blottit au creux de mes bras.

— Sortons d'ici, maintenant !

Oh ! Je crois que j'ai senti une odeur de fumée ! Je cache mon animal à l'intérieur de la robe de chambre pour le protéger des flammes et je sors de la pièce en vitesse. Ouf ! Il était temps ! Je m'enfonce dans le corridor désert, je dévale l'escalier à toute vitesse et je rejoins les élèves rassemblés dans le stationnement de l'école. La plupart d'entre eux ont eu le temps d'enfiler une veste ou un manteau, alors je suis pratiquement la seule à grelotter de froid, les cheveux mouillés.

Thomas ne tarde pas à me rejoindre.

— Hé ! Ça va, Morgane ? me demande-t-il, l'air inquiet.

— Oui, j'ai réussi à sortir à temps ! Alors ? Où sont les flammes ? Les pompiers ne sont pas encore arrivés ?

— C'était juste un exercice, m'explique-t-il. Tu n'étais pas au courant ?

Je tourne la tête de gauche à droite et comprends que tout le monde me regarde. OK. Visiblement, je suis la seule qui n'était pas au courant. Thomas enlève son manteau et le passe sur mes épaules, ce qui m'aide à moins claquer des dents. Mais ça ne me rend pas ma bonne humeur.

— C'est quoi l'idée de faire ça en plein mois de novembre ? Ils auraient pu nous prévenir !

CHAPITRE 16

— Hé ! Désolée, Mo ! lâche Anna, derrière mon dos. J'ai oublié de te donner la note. Je crois qu'elle est restée dans mon sac.

Je me retourne vers mon amie, qui éclate de rire en me voyant. Je n'ai aucune difficulté à imaginer de quoi j'ai l'air : de l'eau teintée de bleu qui coule sur mon visage, mes grands yeux étonnés, mes jambes flageolantes et mes pieds frigorifiés sur l'asphalte rempli de *chewing-gums* et de mégots de cigarettes. J'offre un spectacle bien divertissant, et la moitié de l'école ne se gêne pas pour me montrer du doigt et se moquer de moi. Mais je m'en fiche. Au moins, je sais que j'aurais réussi à nous sauver tous les deux, Johnny Depp et moi, en cas de vrai incendie. C'est ce qui compte !

— Qu'est-ce que tu as dans ta robe de chambre ? me demande une fille que je ne connais pas. Tu as trouvé un écureuil ?

Je referme le manteau de Thomas avec mes mains pour protéger mon animal des regards curieux, mais trop tard: le mal est fait. Une dizaine d'élèves s'approchent de moi et certains introduisent même leur index dans la robe de chambre d'Anna pour vérifier de quoi il s'agit. De plus en plus nerveux, Johnny Depp se met à gigoter et ses petites griffes ne tardent pas à me lacérer la peau.

— Aïe! Doucement! lui dis-je en baissant la tête. Tu me fais mal.

Ma petite bête sort le bout du museau et s'approche de ma joue pour la lécher.

— Oh! Il est trop mignon! s'exclame une fille à côté de moi. Comment il s'appelle?

— C'est un furet? demande quelqu'un d'autre. J'adore les furets!

— Je peux le toucher?

— Je peux le prendre?

Je recule de quelques pas, consciente que la situation peut facilement dégénérer, et je fonce dans quelque chose de dur. Oups! Je crois que j'ai heurté quelqu'un. Je fais demi-tour pour m'excuser et tombe nez à nez avec… le directeur!

* * *

CHAPITRE 16

Anna : Morgane ? Où es-tu ? Qu'est-ce qui s'est passé ?

Je ne suis pas tout à fait remise de mes émotions. Non seulement je me suis fait réprimander devant toute l'école, mais j'ai eu droit à la conséquence la plus sévère de tous les temps. Allongée sur le canapé du salon, Johnny Depp sur mon ventre, je le caresse du bout des doigts en essayant de retenir mes larmes.

Anna : Qu'est-ce qu'il a dit, le directeur ?

Moi : Je ne peux pas tout te répéter, j'en aurais pour des heures !

Anna : C'était si terrible ?

ALLÔ !

Moi : Pire encore.

Anna : J'ai entendu dire qu'il avait appelé ta mère. Est-ce que c'est vrai ?

Moi : Oui, elle a dû venir me chercher. Je suis chez moi en ce moment.

Moi : Elle n'était pas contente !

Anna : J'imagine ! Mon père ne serait pas content non plus s'il devait manquer une journée de travail parce que j'ai fait une bêtise !

Moi : Ce n'est pas le travail qui l'a fâchée le plus.

Anna : C'est quoi ?

Moi : Elle est déçue parce que je lui ai menti. Je lui ai toujours dit que les petits animaux étaient acceptés à la résidence...

Anna : Et elle t'a crue ?

KOI ?!

Moi : Je sais me montrer très persuasive, quand je veux.

Moi : « C'est pour améliorer l'intégration des élèves et créer un environnement convivial qui se rapproche en tout point de la cellule familiale. »

CHAPITRE 16

Anna : J'avoue que c'est convaincant.

Moi : Mais le pire, c'est qu'elle s'en veut d'avoir été aussi naïve. Du coup, je m'en veux de l'avoir menée en bateau. Bref, tout le monde s'en veut.

Anna : Est-ce que tu reviens demain ?

Moi : Non. Je suis suspendue jusqu'à lundi.

Anna : Pour vrai ! *My God !* C'est intense !

Moi : Mais ce n'est pas ça le pire.

Anna : Quoi ? Ne me dis pas que tu es renvoyée ?

Moi : Non. Mais Johnny Depp n'a pas le droit de revenir à la résidence.

Anna : C'est triste, mais c'était à prévoir, non ? Toute l'école est au courant. Et Poilue était furieuse quand elle a appris qu'il vivait avec nous depuis le début de l'année ! Le directeur ne pouvait pas laisser passer ça.

Moi : Il aurait pu faire une exception... Je l'aime tellement, mon Johnny Depp. Je ne sais pas ce que je vais faire sans lui. Il va trop me manquer.

Anna : Oui, à moi aussi, il va me manquer... Mais on va y arriver ! Je vais t'aider ! Je vais te tenir occupée, tu vas voir.

Moi : Je vois bien que tu essaies de te racheter, mais ça ne sert à rien.

Anna : Me racheter ? Me racheter de quoi ?

Moi : C'est ta faute si mon furet est banni de l'école.

CHAPITRE 16

Anna : Euh... Je ne suis pas sûre de comprendre. Comment ça, ma faute ? Je n'ai rien fait du tout !

Moi : Justement. Tu n'as rien fait. Si tu m'avais remis la note, j'aurais su qu'il s'agissait d'un exercice.

Anna : Je ne vois pas ce que ça aurait changé.

Moi : J'aurais réagi autrement, voyons !

Moi : Je ne me serais pas fait des mèches, pour commencer.

Moi : Je me serais levée plus tôt.

Moi : Je n'aurais pas pris ma douche.

Moi : Et surtout, je n'aurais pas caché Johnny Depp dans ma robe de chambre.

Anna : Dans MA robe de chambre, tu veux dire. Elle est à moi. Et tu l'as tachée avec tes produits bio-naturels-sans-pesticides. Est-ce que je t'en veux pour ça ? Non !

Moi : Ce n'est pas la même chose, Anna. On parle d'un être vivant, ici ! Pas d'un bout de tissu !

Anna : Ce bout de tissu appartenait à ma mère, tu sauras !

Une grosse boule vient s'installer dans ma poitrine. Je ne devrais pas me défouler sur Annabelle. Elle ne mérite pas que je la traite de cette façon. Elle n'y est pour rien, dans toute cette histoire.

Moi : Désolée, Anna. Je ne savais pas. Je vais payer le nettoyeur, c'est promis.

J'attends sa réponse, mais elle ne vient pas. J'éteins mon cell et le laisse tomber sur le canapé. Au palmarès des pires journées de mon existence, celle-ci vient de se tailler une place de choix.

CHAPITRE 17

Repos forcé

CHAPITRE 17

Si j'avais écouté Anna, je me serais abstenue de rédiger un article sur les maladies. On dirait que ça m'a porté malchance. Bout de luzerne que je ne me sens pas bien ! Mon amie m'avait pourtant prévenue : rêver à un requin blanc = grand signe de fatigue, donc un système immunitaire moins fort. Ça vaut ce que ça vaut, n'empêche qu'elle avait raison. J'ai l'impression que ma tête va exploser !

Ma petite sortie en robe de chambre m'aura coûté bien plus qu'une suspension et une interdiction de ramener Johnny Depp à la résidence. Elle m'aura aussi coûté la santé ! Mes sinus sont bloqués, ma gorge est en feu et mes yeux n'arrêtent pas de couler, comme si j'étais constamment sur le point de me mettre à pleurer. J'essaie de voir le côté positif des choses : je peux dormir autant que je veux et écouter la télé à longueur de journée.

Maman a laissé sa colère de côté pour prendre soin de moi. Elle trouve que je fais vraiment trop pitié. Elle passe donc les journées suivantes à soigner sa « pauvre petite fille malade ». Elle me fait couler des bains, me prépare de la soupe, m'oblige à me reposer et insiste pour que je boive douze mille litres d'eau toutes les deux heures.

Quant à Yanie et Louba, elles m'écrivent tous les jours. J'ai beau tousser, me moucher et cracher sans arrêt (dans un mouchoir, on s'entend!), ça ne les empêche pas de prendre l'autobus pour me faire une petite visite. On ne se voit tellement pas souvent ces temps-ci qu'on profite de chaque instant pour rattraper les heures perdues.

Avec Annabelle, c'est moins facile. Elle refuse de me parler. Je l'ai textée à plusieurs reprises, mais elle ne répond à aucun de mes messages. J'ai compris: elle me fera payer chèrement tout acte déloyal à son égard. J'avoue que je l'ai bien mérité. Je l'ai accusée à tort. Rien de tout ça n'était de sa faute et je n'aurais jamais dû m'en prendre à elle. Tout le chagrin du monde ne justifie pas une telle attitude.

Je réussis à échanger quelques messages avec Thomas, surtout en soirée. Mais mon ami n'a pas beaucoup de temps à me consacrer. Ses entraînements de football et de hockey lui ont grugé tellement d'énergie au cours des dernières semaines qu'il a pris du retard dans ses travaux. Maintenant que le football est terminé, il essaie de se remettre à flot. J'aimerais qu'il trouve un moment pour m'aider avec mes maths, mais je n'ose pas lui demander. Je ne veux quand même pas lui faire couler son année.

J'essaie d'aller chercher de l'aide auprès de Louba et Yanie, mais nos échanges ne sont pas très efficaces.

Moi : Comprenez-vous quelque chose aux méthodes de comparaison des systèmes d'équations ?

Louba : Il faut comparer les deux équations si tu veux trouver la solution.

Yanie : Mais non ! Tu dois commencer par isoler la variable.

Moi : C'est quoi, une variable ?

Yanie : Voyons, Morgane ! Tu ne sais pas ce que c'est une variable ?

Moi : Euh... Pas sûre. Tu m'expliques ?

Yanie : Ben, euh. Je vais laisser Louba le faire. Elle est meilleure que moi.

Hein ?

Louba : Tellement pas. De toute façon, je pense que tu dois trouver ton *x*.

Moi : Il n'y a pas de *x* dans ma formule.

Yanie : Impossible !

Moi : Ben là ! Je connais mes lettres, quand même. Je te dis qu'il n'y a pas de *x*.

Louba : Pourquoi tu ne demandes pas à quelqu'un d'autre de t'aider ? Tu vois bien qu'on va te faire couler ton cours !

C'est donc ce que j'ai fait. J'ai écrit à Roméo, parce qu'il a toujours un tas de trucs pour m'aider à comprendre la matière. Évidemment, Eddy ne peut s'empêcher de se mêler de notre conversation et ça donne des échanges assez comiques. Ils me font du bien, ces deux-là ! Ils incarnent le bonheur, la joie de vivre, l'acceptation de soi. Ils me trouvent bien drôle quand je me décide à leur faire part de mon admiration.

Eddy : Si tu crois qu'on est un couple exemplaire, Morgane, *you're wrong* !

CHAPITRE 17

Roméo : C'est vrai, ça. Personne n'est parfait. Surtout Ed. 😜

Moi : Ben là ! N'essayez pas de me faire croire que ça ne va pas bien, vous deux !

Eddy : Ça va bien, *you're right*... Si on met de côté les tics de Roméo !

Roméo : Hé ! Tu n'as pas à parler de ça. C'est notre vie privée.

Moi : Au contraire ! Je veux tout savoir. Quels tics ?

Eddy : Quand on s'embrasse, il me frotte l'oreille droite avec le bout de ses doigts.

Moi : Ah ! Mais c'est *cute*, non ?

Eddy : C'est *weird*, tu veux dire ! En plus, j'ai l'oreille tout usée.

Roméo : Tu n'es pas beaucoup mieux ! Tu passes ton temps à bouger quand on écoute un film. Tu m'épuises !

Eddy : Et toi, tu sapes quand tu manges de la soupe. On dirait mon grand-père !

Roméo : Ce n'est même pas vrai !

Eddy : Je te le dis ! Chaque fois, j'ai l'impression que tu vas perdre ton dentier. C'est vraiment dégueu ! Tu brises toute la magie de notre couple.

Roméo : OK. C'est bon ! Je ne mangerai plus de soupe devant toi. Du potage, ça va ?

Hi ! Hi !

Eddy : Hum... *I don't know.* Mieux vaut ne pas prendre de chance.

Roméo : Une chaudrée ? Un chili ? Une sauce à spaghettis ?

Eddy : Tu ferais mieux d'arrêter de manger tout court. C'est plus prudent. C'est notre couple qui est en jeu, ici.

Je quitte la conversation, un sourire aux lèvres, la tête plus légère. Eddy et Roméo sont mes idoles. Ils arrivent à régler leurs différends dans l'humour, l'honnêteté et le respect. Je veux être comme eux. Je veux trouver la personne qui me fera vivre de belles émotions, qui me donnera le goût d'arrêter de manger de la soupe aux légumes, juste pour lui faire plaisir. Un jour, peut-être, j'arriverai à trouver cette perle rare. En attendant, je sais quoi faire pour occuper mon dimanche après-midi. Les publicités qui passent en boucle à la télé ont bombardé mon cerveau d'images lumineuses, de chansons féeriques et d'odeurs de cannelle et de branches de sapin. Je m'installe donc à mon ordinateur pour noter mes premières idées pour le *No Name*. Ces idées se transforment bientôt en numéro complet consacré au temps des fêtes.

Le No Name !

Édito

Vous me voyez venir avec mon papier bordé de sapins, de flocons et de feuilles de gui, hein ? Hé oui ! On est encore en novembre, mais Noël approche à grands pas. Qui dit Noël dit party de famille, tenue chic et nourriture abondante. Mais c'est aussi : se coucher tard, végéter devant la télé, niaiser sur Internet, texter, Facetimer, Twitter, et peut-être faire des sorties comme aller patiner, skier ou faire de la raquette. Mais Noël, c'est d'abord et avant tout *les cadeaux* !

Tu as envie de faire partie de l'échange de cadeaux avec toute ta famille ? Pourquoi pas ? Sache toutefois qu'il y a certaines règles à respecter si tu ne veux pas passer à l'histoire pour avoir offert le pire présent de tous les temps.

Attention, c'est parti : cours 101 pour bien choisir ton cadeau d'échange.

Respecte le budget proposé. Tout le monde était d'accord pour investir une vingtaine de dollars? Ne te précipite pas dans le premier magasin à un dollar que tu rencontres en t'imaginant faire des économies sans que personne s'en aperçoive. À l'inverse, n'investis pas non plus un montant plus élevé. Non seulement tu vas vider ton portefeuille, mais en plus tu rendras mal à l'aise ceux qui auront choisi de magasiner au magasin à un dollar. 😉

N'attends pas à la dernière minute pour faire ton choix. Prépare-toi comme il se doit. Fouille sur Internet, consulte les revues «spécial temps des fêtes», promène-toi dans les magasins, mène une enquête approfondie sur les goûts et les champs d'intérêt des gens en matière de cadeau-surprise.

Choisis un cadeau qui saura plaire à tout le monde. Difficile, je sais, mais pas impossible. Une trousse à maquillage? Mauvaise idée: ton grand-père pourrait avoir l'étrange idée de s'en servir pour mettre son dentier. Une cravate? Ce n'est pas beaucoup mieux: ta tante Monique (cette éternelle célibataire) ne saurait trop quoi en faire. Un CD vierge? Tellement inutile! Un gadget qui sert à trancher les œufs à la coque? Quoi? C'est si long que ça, trancher un œuf avec un couteau? Sérieusement, un peu d'imagination, je vous prie!

N'achète pas une carte-cadeau, à moins que tu cherches à gagner un prix pour un manque flagrant d'originalité. Parlant d'originalité, voici quelques idées gagnantes: du papier de toilette sur lequel on a imprimé des sudokus – parce que c'est pratique; des pansements en forme de bacon – parce que c'est drôle; une tasse faite de blocs Lego – parce que ça amuse tout le monde, les petits comme les grands.

Pour t'aider dans tes choix, voici des témoignages sur les pires cadeaux de tous les temps! Amuse-toi bien!

J'ai déjà reçu une fausse barbe en cadeau. Sur le moment, j'ai cru que c'était une blague, mais mon oncle était très fier de lui. Il avait passé les derniers mois à coller un à un les poils de sa propre barbe sur un bout de tissu pour me faire plaisir. «Tu vas pouvoir t'acheter de la bière au dépanneur avec ça!» m'avait-il dit fièrement. Weird!

Carl

CHAPITRE 17

Mon pire cadeau à vie ? Un sac rempli de fumier de lapin. Il m'a été offert par ma cousine de trois ans. « Tu as vu ? Bouboule fait des crottes en forme de bouboules. Je les ai toutes gardées pour toi ! » Ouaip ! Merci beaucoup, mais ton cadeau pue ! Il va atterrir au fond du bac brun...

Brittany

Je crois que je détiens le record du pire cadeau de l'Univers : un chien ! La plupart des gens vont faire « oh ! » ou dire « wow ! » mais pas moi. Je n'ai jamais voulu d'animaux, encore moins d'un chien. Il fait ses besoins partout, il m'oblige à aller dehors, il jappe sans arrêt, il sent la vieille chaussette et, en plus, il passe son temps à manger mes devoirs. J'ai eu trois retenues depuis le début de l'année à cause de lui. P.-S. : Il est à vendre. Des intéressés ?

Keven

Maintenant que tu as trouvé le cadeau parfait, il est temps de renflouer tes coffres.

Voici quelques idées pour gagner des sous rapidement et efficacement :

- Ramasse les bouteilles et les canettes vides. Dans ton garage, dans celui des voisins, dans les poubelles des parcs. Je sais, ce n'est pas très ragoûtant, mais c'est avec des cinq cents qu'on fait des dix cents !

- Propose à tes parents de les aider à faire le grand ménage du printemps – avec quelques semaines d'avance. Tu peux aussi leur donner un coup de main pour préparer le repas du réveillon, faire du lavage, déneiger l'auto, l'entrée, la rue et tout le quartier, si ça te chante. Tant que ça te rapporte un peu d'argent.

- Si le cœur t'en dit, tu peux aussi garder des enfants. Mais attention ! Ce travail délicat n'est pas fait pour tout le monde ! Il faut être prêt à chanter des chansons abrutissantes, écouter dix fois en ligne le même film de Disney, jouer à cache-cache en faisant semblant de ne pas voir les pieds qui dépassent sous les rideaux et – le pire de tout – moucher des nez morveux, changer des couches et parfois même ramasser des trucs non identifiés qui gisent sur le plancher de la cuisine.

Bon courage !

CHAPITRE 17

Je suis très contente du résultat ! J'envoie mon document à Anna, à Eddy et à Thomas, et ensuite je fais un petit tour sur Internet. Je constate vite que Félix a publié des photos prises de nous deux lors du party d'Halloween et je suis curieuse de lire les commentaires des autres filles. Je crois qu'elles ne savent pas encore qu'on ne sort pas ensemble, alors plusieurs se montrent très déçues, et certaines demandent même à prendre un numéro. Pathétique !

Ensuite, je termine mes devoirs, je continue mes recherches pour mon exposé de sciences et je me penche sur la campagne de financement du club de plein air. J'ai déjà trouvé plusieurs idées quand on sonne à la porte. Je sais que maman est dans le bain, alors je lui crie :

— J'y vais !

— Si c'est un jeune qui veut nous vendre des trucs, lâche-t-elle de la salle de bain, dis-lui qu'on a tout ce qu'il nous faut.

— Même si c'est du chocolat ?

Maman ne répond pas tout de suite. Le chocolat, c'est sa plus grande faiblesse. Surtout celui avec de la fleur de sel.

— Tu n'as qu'à prendre des sous dans mon portefeuille, annonce-t-elle finalement.

J'émets un petit rire et ouvre la porte d'entrée. Mais ce n'est pas un colporteur qui attend sur la galerie. C'est Anna !

CHAPITRE 18

Quand la terre arrête de tourner

CHAPITRE 18

Je suis si contente de la voir que je lui saute dans les bras. Mon amie me rend mon câlin et me dit à l'oreille qu'elle est désolée, qu'elle déteste quand on se dispute et qu'elle ne veut surtout pas qu'on reste fâchées, toutes les deux. Sa présence me fait tellement de bien que je me sens libérée d'un poids énorme qui pesait sur mes épaules. Je la lâche enfin et je réalise qu'elle ne peut pas avoir fait cette route toute seule. Qui est venu avec elle ? Anthony ? J'étire le cou dans l'espoir de voir apparaître son frère, mais c'est son père que j'aperçois au volant de la Jaguar.

— Qu'est-ce que vous faites là, tous les deux ? dis-je, étonnée.

— J'ai convaincu mon père de venir te chercher, me répond Anna, en se frottant les bras avec les mains pour se réchauffer. Je m'ennuyais trop de toi.

— Et il a accepté ? Il n'avait pas mieux à faire ?

— À vrai dire, il était content de passer un peu de temps avec moi, m'annonce Anna, les joues rosies. Ça va un peu mieux depuis quelques jours. Il m'a même parlé, dans l'auto.

— Wow ! C'est tout un exploit, dis-je, sincèrement contente pour elle. Mais on ne part pas tout de suite, hein ? Je ne suis pas prête. Vous restez manger avec nous ?

Anna fait un quart de tour, pointe la voiture stationnée dans l'entrée et me dit, un sourire au coin des lèvres :

— Si tu réussis à le convaincre !

Il ne m'en faut pas plus pour dévaler l'escalier et amorcer une petite discussion avec monsieur Plante. Mon pouvoir de persuasion est tel que je réussis facilement — enfin, presque — à le convaincre de venir prendre un bon café à l'intérieur. Tandis qu'il patiente au salon, je me réfugie avec Anna dans la cuisine, plus excitée que jamais.

— C'est fou ! Je n'arrive pas à croire que ton père est dans ma maison, fais-je en remplissant le réservoir de la cafetière. Ma mère va tellement faire un saut en le voyant. Oh ! Tu crois qu'il va la trouver trop vieille ?

— Hein ? Mais non, voyons ! m'assure Anna, le nez plongé dans le contenant de sucre. Elle est super belle, en plus. Je trouve qu'elle a beaucoup de charme.

CHAPITRE 18

Je verse du lait dans une casserole et y dépose trois bonnes cuillérées de cacao. Anna ajoute ensuite du lait et du sucre et je remue le tout à l'aide d'un fouet, tout en expliquant :

— C'est vrai qu'elle est charmante, mais elle fait toutes sortes de bruits bizarres. Elle craque de partout.

— C'est normal en vieillissant, non ?

— Oui, mais là, c'est vraiment intense. Je pense qu'elle est due pour une cure de rajeunissement.

— Une cure de rajeunissement ? répète Anna, étonnée par ma remarque. Qu'est-ce que tu racontes ? Je croyais que tu étais contre de telles interventions !

J'arrête de nettoyer le comptoir et j'observe mon amie, un peu déboussolée.

— Moi ? Mais non. Ça fait du bien, des petites rénovations, de temps en temps. Je ne vois pas ce qu'il y a de mal là-dedans.

— Des rénovations ? lâche Anna, estomaquée. Tu trouves que ta mère a besoin de rénovations ?

— Hein ? Comment ça, ma mère ? Tu es hors sujet, là ! Oh ! Attends ! « Elle fait toutes sortes de bruits bizarres », « elle craque de partout », tu croyais que je parlais de ma mère ?

— Ben...

Je pointe le vieux plancher de bois, les portes grinçantes et les fenêtres défraîchies de ma maison et on éclate de rire. Elle est trop bonne, celle-là !

Attirée par le son de nos voix, maman sort de la salle de bain, une serviette enroulée autour du corps et une autre autour de la tête. Lorsqu'elle voit que je ne suis pas seule — et qu'elle aperçoit monsieur Plante, toujours assis au salon —, elle ouvre grand les yeux et court se réfugier dans sa chambre. Elle en ressort au bout de cinq minutes, habillée et cheveux attachés. Évidemment, j'ai droit à un regard interrogateur.

Je fais les présentations, je sers du café et du chocolat chaud, et on s'installe dans la véranda pour discuter. Maman pose douze mille questions à monsieur Plante, celui-ci y répond sans montrer de signe d'impatience, et Anna et moi, on se regarde avec un grand sourire. Au bout d'une demi-heure, je l'invite à visiter ma chambre, et elle accepte avec joie.

CHAPITRE 18

— OK. C'est trop biz ! lâche Anna, en entrant dans la pièce.

— Oui, je sais qu'elle n'est pas aussi belle que la tienne, dis-je en m'installant sur un pouf. Ni aussi grande, d'ailleurs, mais je m'y sens bien, c'est ça le plus important.

— Je ne te parle pas de ta chambre, espèce de nouille ! fait Anna, les yeux ronds. Je faisais allusion à nos parents.

— Quoi, nos parents ?

— Ne fais pas l'innocente ! Le courant passe tellement entre eux qu'ils pourraient alimenter toute la ville en électricité !

Anna se laisse tomber sur mon lit. Je n'arrive pas à décoder son expression. Son sourire en coin me fait penser qu'elle est contente, mais ses sourcils froncés, ses mains agitées et la veine qui palpite sur son cou me laissent croire qu'elle éprouve une certaine appréhension.

— Écoute, fais-je, avec prudence. Ça ne veut rien dire. Ils passent un bon moment, c'est vrai, mais ils risquent de ne plus jamais se revoir, alors ne t'en fais pas.

— Je ne m'en fais pas, souffle Anna, le regard vague.

Elle porte une main à son front, visiblement tourmentée, et lâche un grand soupir.

Puis, elle m'invite à m'asseoir près d'elle et me confie qu'elle a beaucoup réfléchi dans les derniers jours.

— Tu avais raison, concède-t-elle. Mon père mérite d'être heureux. Et s'il doit sortir avec une autre femme, ça me ferait plaisir que ce soit avec ta mère. Je l'aime déjà beaucoup. Et d'après ce qu'on raconte, ajoute Anna, dans un demi-sourire, elle a une fille qui est plutôt cool.

— Oui, c'est ce que disent les rumeurs !

J'enroule un bras autour des épaules de mon amie et la serre fort pour lui montrer à quel point je l'aime. Je veux qu'elle sente mon énergie. Qu'elle sache que je suis de tout cœur avec elle. Elle a franchi un grand pas, aujourd'hui, mais elle n'est pas seule. Je suis là !

La soirée se termine dans la joie et la bonne humeur. Maman nous appelle pour le souper, monsieur Plante la complimente sur ses talents de cuisinière et ma mère le remercie en rougissant. Anna et moi avons mal aux tibias à force de nous donner des coups de pieds sous la table. On essaie de ne pas rire, mais c'est très difficile de voir nos parents s'apprivoiser ainsi sans réagir. À la fin du repas, maman insiste pour ramasser toute seule : il commence à se faire tard et on a une bonne heure de route à faire. Je vais chercher mon sac, j'embrasse Johnny Depp, le cœur serré, et je serre maman bien fort dans mes bras avant d'aller rejoindre Anna et monsieur Plante dans l'auto.

La semaine file à la vitesse de l'éclair. Entre mes cours, mes travaux, le *No Name* et mon projet de réalisation de rêves, je n'ai plus une minute à moi. Et c'est très bien ainsi, car ça m'évite de trop penser à Johnny Depp. Il me manque vraiment. Quand je suis en classe, ça va. Mais dès que je pose un pied dans la chambre, j'ai le réflexe de l'appeler… mais il ne vient pas, évidemment.

Je passe plusieurs midis à m'entretenir avec Anne-Sophie, une fille qui rêve de passer une journée sans pleurer parce qu'elle est la plus petite de l'école. J'ai tout un travail d'acceptation et de confiance en soi à faire avec elle. Lentement mais sûrement, comme on dit. À la fin de la semaine, je suis assez fière du résultat. Anne-Sophie finit même par me demander où j'achète mes vêtements, parce qu'elle aimerait bien adopter le « look Morgane ». Je lui promets une petite séance de magasinage, un de ces jours.

De son côté, Anna fait d'énormes progrès avec sa chaîne YouTube. Son nombre d'abonnés grimpe en flèche et elle continue de publier des vidéos pour alimenter ses fidèles supporteurs. Elle file le parfait bonheur avec Greg, qui la regarde comme si elle était la huitième merveille du monde. Je suis contente pour elle. Mon amie a l'air heureuse et ça, ça me rend heureuse à mon tour.

Roméo : Salut, Morgane. N'oublie pas la réunion du club de plein air, tout à l'heure.

Moi : Tu me l'as rappelée toute la semaine ! J'y serai, ne t'en fais pas !

Roméo : Super ! Ça va être cool, tu vas voir !

Moi : Cool ? Oui, bien sûr ! Rien de mieux qu'une réunion pour agrémenter mon vendredi soir. 😜

CHAPITRE 18

Roméo : Pas le choix. On doit commencer à préparer notre sortie de camping d'hiver si on veut être prêts à temps.

Moi : J'ai déjà hâte. Brrr ! J'ai toujours rêvé de dormir dehors à moins mille degrés avec les ours et les loups.

Roméo : Il n'y a pas d'ours où on va. Seulement des écureuils et des ratons laveurs.

Roméo : Avec l'abri qu'on va construire, tu n'auras pas froid, je te le promets. Au pire, tu te colleras contre moi. 😉

Moi : OK. Mais ne le dis surtout pas à Eddy. Je n'ai pas envie de me faire arracher la tête.

Roméo : Pas de danger. Désolé, mais tu n'es pas mon genre.

Moi : Je peux me laisser pousser la moustache si tu veux. Je peux même arrêter de me raser sous les bras.

Roméo : LOL ! Ce ne sera pas nécessaire !

Moi : Côté matériel, as-tu des recommandations à me faire ?

Moi : Je n'ai pas le budget des jumelles McNeil, mais je veux quand même être bien équipée.

Roméo : Oui, je peux te conseiller quelques bonnes marques.

Hi ! Hi !

Roméo : Tu veux que je te rejoigne dans ta chambre ? On pourrait en discuter avant la réunion.

Moi : Pas une bonne idée : Poilue est particulièrement de mauvaise humeur, aujourd'hui. Rejoins-moi plutôt dans la salle de repos, c'est plus sécuritaire.

Roméo : OK.

J'éteins mon ordinateur et me fais un chignon sur le dessus de la tête avant de sortir de ma chambre. Mon cell vibre dans ma main tandis que je marche dans le corridor.

Maman : Morgane ?

Je ne réponds pas. On aura une bonne heure pour discuter quand elle viendra me chercher après le souper. Je range donc mon téléphone dans la poche de mon jeans et continue mon chemin sans m'arrêter. Il n'y a jamais personne dans la salle de repos, le vendredi soir, mais cette fois-ci, c'est différent. La pièce est pleine à craquer. On dirait que toute l'école est là ! Anna et Greg discutent dans un coin, quelques filles lisent leur horoscope et un groupe de gars s'est rassemblé pour écouter la partie de hockey à la télé. Je ne sais pas jusqu'à quel point le match est important — il me semble qu'on est encore loin des séries éliminatoires —, mais j'entends des « Oh ! » et des « Quel arrêt ! » s'élever. Ça sent le pop corn au beurre et la testostérone à plein nez. Même Thomas s'est joint à eux, lui qui a l'habitude de retourner chez lui tous les soirs après l'école. Bon, pour la tranquillité, on repassera ! Je salue mes amis de la main et m'installe dans un fauteuil libre. Ma mère m'écrit une fois de plus.

Maman : Réponds, Morgane. C'est important.

Je m'apprête à lui demander ce qu'il y a quand Thomas se laisse tomber à côté de moi, un grand sourire aux lèvres.

— Salut, Miss ! Je suis content de te voir, déclare-t-il en posant une main sur mon genou. On ne s'est presque pas croisés de la semaine.

— Oui, c'est vrai, dis-je en donnant un petit coup avec ma jambe pour qu'il retire sa main. On était très occupés tous les deux.

Thomas passe un bras sur le dossier derrière mon dos.

QU'EST-CE QUI LUI PREND ? IL A PERDU TOUTE NOTION DE RESPECT D'ESPACE VITAL ?

— Tu restes ici pour le week-end ? demande-t-il, une lueur d'espoir dans les yeux.

— Non, ma mère vient me chercher tout à l'heure.

CHAPITRE 18

Je me repositionne sur le fauteuil afin de m'éloigner de lui, mais il fait semblant de tousser pour se rapprocher encore un peu.

— C'est vraiment nécessaire que tu t'assoies sur moi ?

— Je te touche à peine ! me répond Thomas, l'air de rien. Qu'est-ce qu'il y a ? Je te perturbe ?

Il me fait un clin d'œil et je lui réponds avec une grimace.

— Il y a assez de place pour nous deux, non ?

— Si tu le dis…

Une exclamation s'élève à l'autre bout de la pièce. Thomas lève la tête, lâche un petit cri et bondit sur ses pieds, les bras dans les airs.

— Oh oui ! Quel but, mesdames et messieurs !

Il court rejoindre ses amis, leur tape dans les mains, regarde la reprise au moins trois fois et reviens s'asseoir quelques minutes plus tard, le sourire fendu jusqu'aux oreilles.

— As-tu vu ça, Morgane ?

— Mmmm ?

— C'était in-cro-ya-ble ! Je n'ai jamais vu une feinte pareille. As-tu vu comme il s'est moqué du défenseur ? Je vais devoir essayer ça, c'est certain !

S'il y a une chose qui ne m'intéresse pas dans ce monde, c'est bien le hockey. Je laisse donc Thomas me raconter à quel point le but était merveilleux sans trop lui accorder d'attention. Il va bien finir par se fatiguer…

Mon cellulaire vibre une fois de plus dans ma poche. Je ne sais pas pourquoi maman m'écrit si souvent, mais je ferais bien de lui répondre.

— Ça ne te dérange pas ? dis-je en levant l'appareil pour que Thomas le voie bien. J'ai un message à envoyer.

— Non, pas du tout ! Ne te gêne pas pour moi !

Mais il ne bouge pas. Il me fixe en souriant. Euh… OK.

— Le respect de la vie privée, ça te dit quelque chose ? j'ajoute, en agitant une main devant son visage.

— Oui, mais je suis content de te voir, marmonne-t-il, un grand sourire aux lèvres.

— Je sais, tu me l'as déjà dit tout à l'heure.

— C'est vrai.

Thomas baisse la tête et son visage prend une délicieuse teinte rosée.

— C'est parce que je le pense vraiment, dit-il, les yeux cachés derrière sa casquette des

Canadiens. J'aimerais bien qu'on prenne le temps de discuter de nous deux.

Je croyais qu'on avait déjà réglé la question, mais, manifestement, je vais devoir remettre les pendules à l'heure. Je pose deux doigts sous le menton de Thomas et lui relève la tête en douceur. Quand il fixe son regard dans le mien, j'essaie de ne pas me noyer dans la beauté de ses yeux.

— Il n'y a pas de « nous deux », Thomas.

— Pas pour l'instant, me répond-il, en haussant les épaules. Mais ça viendra, je ne suis pas inquiet.

— Dans ce cas, tu sais ce que tu as à faire.

Thomas plisse le front et je lui désigne l'entrée de la salle. Roméo et Eddy viennent d'arriver. Ils discutent un moment avec une fille et se choisissent une place tout près de l'entrée. En nous apercevant, ils nous saluent d'un geste de la main. (À moins que ce soit moi qu'ils saluent, ce serait plus crédible.)

Thomas cesse de respirer. Ses muscles se crispent. Sa mâchoire se contracte. On dira ce qu'on voudra, il a encore du chemin à faire ! Mais cette fois-ci, au lieu de rester là à maugréer dans son coin, Tom quitte notre fauteuil et s'avance vers mes deux amis. Sa démarche est loin d'être naturelle. On dirait qu'il s'est transformé en robot. J'écarquille les yeux d'étonnement et j'attends la suite avec la plus grande impatience.

Arrivé à la hauteur de Roméo et d'Eddy, Thomas incline la tête et se gratte la nuque nerveusement.

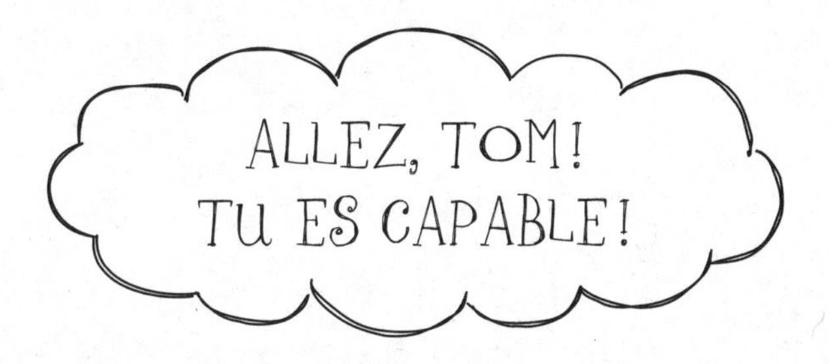

Mes deux amis le regardent avec intérêt tandis que je me mords l'intérieur de la joue. Thomas va-t-il vraiment faire les premiers pas ? Se pourrait-il qu'il ait enfin compris ? Que son cerveau ait dissipé ses préjugés stupides pour faire place à l'acceptation et à la tolérance ? Les fesses au bord du fauteuil, je tends l'oreille pour ne rien manquer de leur discussion. Ça y est ! Tom ouvre la bouche ! Il va dire quelque chose ! Comme c'est excitant ! Mais au lieu de s'adresser au couple assis devant lui, il tourne la tête légèrement vers la droite et articule :

— Euh, bonjour, Élise. Vous arrivez tôt, est-ce que tout va bien ?

CHAPITRE 18

Mon regard bifurque dans la même direction et je constate que ma mère vient d'arriver dans la salle de repos. Quoi ? Déjà ? Elle était censée venir me chercher après le souper.

Oh ! C'est vrai ! Ses yeux sont vitreux. Son visage est triste. Bout de luzerne ! Elle vient m'annoncer une mauvaise nouvelle ! Thomas, qui a compris que la situation était grave, pose une main sur son épaule et pointe dans ma direction.

— Morgane est juste là, murmure-t-il, la voix grave.

Maman le remercie nerveusement et marche vers moi en silence. Je suis déjà debout, le cœur en miettes.

— Assieds-toi, Morgane, me demande-t-elle avec émotion. J'ai quelque chose à t'annoncer.

Je ne veux pas m'asseoir. Quand on s'assoit, c'est parce que la nouvelle est trop dure à encaisser. Je ne veux pas que ce soit le cas. Je secoue donc la tête, les mots coincés dans ma gorge en feu. Il faut que je sache. Tout de suite. Maman me tend une petite boîte de carton et m'annonce tristement :

— Je suis désolée, ma colombe.

Mes yeux se posent sur la boîte et je tends les mains pour la saisir. Elle est plutôt légère. Je fais un geste pour écouter à l'intérieur, mais mon petit doigt me dit que rien ne bouge, là-dedans. Que peut-il bien y avoir, dans cette boîte ? J'ai beau chercher, je ne vois pas ce qu'elle peut contenir.

— Il était bien, ici, près de sa maîtresse, explique doucement maman. C'est pour ça que j'ai pensé te l'amener. Il n'a pas supporté son retour à la maison. Être éloigné de toi…

Mon sang se glace dans mes veines, ça me donne la chair de poule. Est-ce qu'elle parle de Johnny Depp ? Qu'est-ce qu'il a ? Il est malade ? Il est blessé ? Il est…

N'y tenant plus, j'ouvre le couvercle, les mains tremblantes. Un sanglot s'échappe de ma poitrine quand je l'aperçois, couché sur sa couverture préférée, les yeux fermés. Mes doigts s'aventurent sur sa fourrure. Elle est toujours aussi douce, mais la chaleur qui s'en dégageait est disparue à jamais. Johnny ne bouge pas… et il ne bougera plus.

Mes jambes n'arrivent plus à supporter mon poids. Je me laisse tomber sur le fauteuil, en proie à une tristesse si intense que j'ai l'impression que je ne pourrai plus jamais retrouver le bonheur. Thomas est déjà à mes côtés et je me réfugie dans ses bras en pleurant à chaudes larmes.

— Il ne peut pas être mort ! C'est impossible !

— Je suis désolé, Morgane…

— Il a tellement dû se sentir abandonné ! Je n'étais pas auprès de lui. Je… Je l'ai laissé mourir tout seul…

J'ai à peine conscience des gens autour de moi. Je ne réalise pas que tout le monde s'est tu, que la télévision est en sourdine. Je ne réalise pas non plus qu'Anna, Roméo et Eddy se sont attroupés pour me réconforter. Tout ce que je sais, c'est que mon cœur est en miettes et que rien ni personne ne pourra le recoller. Thomas resserre ses bras autour de mes épaules et je le serre fort dans mes bras, agrippant son t-shirt, comme si ma vie en dépendait. Et je pleure.

CHAPITRE 19

Le début de quelque chose?

CHAPITRE 19

Le sol est dur et froid au pied du grand chêne qui borde la rivière, derrière l'école. Les yeux rivés sur la petite butte de terre surmontée d'une croix de bois, je laisse couler les larmes sur mes joues. Mes amis m'ont aidée à trouver l'endroit parfait, à creuser et à installer Johnny Depp dans sa dernière maison. Ça me réconforte un peu de savoir qu'il sera en parfaite communion avec la nature.

Johnny Depp était plus qu'un animal. Il était mon compagnon. Mon complice. Mon confident de tous les instants. Je n'avais que trois ans quand ma mère me l'a offert pour mon anniversaire, et depuis ce jour, je n'avais jamais imaginé ma vie sans lui. Une partie de moi savait qu'il n'était pas immortel et qu'il ne pourrait vivre indéfiniment, mais je refusais d'y penser, tout simplement. Dans ma tête, il était avec moi pour toujours.

Je prononce quelques mots et maman dépose un petit bouquet de fleurs au pied de la croix. Puis, elle s'éloigne pour me laisser seule avec mes amis. Anna me tient la main si fort que mes doigts sont douloureux. Je sais qu'elle se sent coupable. Si elle m'avait prévenue pour l'exercice d'incendie, tout cela ne serait jamais arrivé. Mais je ne peux pas lui en vouloir, parce qu'au fond je suis la seule responsable. Mon animal aurait dû rester à la maison depuis le début. Il se serait habitué doucement à mon absence et ne serait pas mort de désespoir.

Un sanglot s'échappe de ma poitrine et Anna presse mes doigts encore plus fort. Elle est avec moi, quoi qu'il arrive. Roméo et Eddy s'approchent pour me faire un énorme câlin, et Thomas pose une main réconfortante dans le bas de mon dos. Au moins, je suis bien entourée. Mes amis sont tous là. Ils me font du bien. Je suis même étonnée de voir Thomas si calme, si détendu. Je l'interroge du regard et il hoche la tête, les lèvres pincées. Puis, il s'approche d'Eddy et lui ouvre les bras. Ce dernier hésite une seconde et finit par accepter les excuses silencieuses de son ami d'enfance.

Une parcelle de bonheur s'immisce dans la tristesse qui m'accable depuis tout à l'heure. Voir Thomas et Eddy à nouveau réunis me permet de mieux tolérer le départ de Johnny Depp. Mon furet me manquera, certes, mais j'aurai au moins la certitude que son décès ne sera pas vain. Il aura permis à deux personnes de rattacher le lien qui les unit depuis des années. Et ça, ça n'a pas de prix.

CHAPITRE 19

Anna : Je pense à toi, ma belle !

Moi : Merci, c'est gentil.

Anna : Greg et moi allons au cinéma, tout à l'heure. Tu veux venir avec nous ?

Moi : Non, merci.

Anna : Je peux demander à mon père de venir te chercher, si tu veux. Je suis sûre que ça lui ferait plaisir, vu les circonstances.

Anna : En plus, j'ai l'impression qu'il serait bien content de revoir ta mère. 😉

Moi : C'est gentil, mais je préfère rester à la maison.

Anna : Comme tu veux. On se voit demain soir ?

Moi : Oui. Bonne soirée avec Greg !

Bye !

Anna : Merci ! xxx

Je monte le son de la télé et me laisse abrutir un moment par une émission qui explique les différentes étapes de fabrication d'un boulon d'un demi-pouce. C'est vraiment ennuyeux, mais ça m'empêche de trop penser à Johnny Depp. Mon chien et mon chat sont venus se blottir contre moi et me tiennent bien au chaud.

Mes pensées vagabondent, passant de la peine qui m'habite à la hâte de retourner à l'école pour me tenir occupée. Soudain, je réalise que je n'ai même pas prévenu Louba et Yanie ! Peu fière de mon oubli, je leur écris un long texto pour leur donner les détails des derniers événements.

Yanie : Je suis désolée, Morgane !
J'aimais tellement Johnny Depp. 😢

Louba : Oui, c'est vraiment triste.

Louba : Vas-tu t'acheter un autre furet ?

Yanie : Voyons, Louba ! Morgane ne peut pas remplacer Johnny Depp si vite ! Laisse-lui le temps de vivre son deuil !

Louba : Qui parle de le remplacer ?

Yanie : Ben toi ! C'est ce que tu viens d'écrire !

Louba : Johnny Depp est irremplaçable. Mais Morgane a toujours aimé les furets, alors je ne vois pas pourquoi elle s'empêcherait d'en avoir un autre.

Yanie : Quel manque de délicatesse de ta part !

Je lis les échanges de mes amies encore un peu, un sourire au coin des lèvres. Elles sont vraiment épouvantables, ces deux-là ! Toujours en train de se chamailler ! C'était déjà ainsi quand on allait toutes les trois à la même école et ça ne s'est pas arrangé depuis que je suis partie. Je dirais même que c'est pire !

OK. Je dois intervenir ! Si ça continue, elles vont s'arracher les cheveux !

Moi : C'est bon, les filles ! Faites une pause. Vous m'épuisez.

Yanie : Tu vois, Louba ? Tu l'épuises ! Morgane est fragile, en ce moment. On doit faire attention.

Moi : Je ne suis pas fragile.

Louba : Ce n'est pas une poupée de porcelaine, franchement !

Yanie : Je n'ai pas dit ça ! Arrête de tout dramatiser, veux-tu ?

Bout de luzerne qu'elles sont intenses ! Je lève les yeux au ciel et quitte la conversation. Tant pis pour elles. On se reparlera quand elles se seront calmées. Je lis le message que Thomas m'a envoyé.

Tom : Salut ! Qu'est-ce que tu fais ?

Moi : Je suis prise entre l'arbre et l'écorce.

CHAPITRE 19

Tom : Tu es dans la forêt ? Il ne pleut pas, par chez vous ?

Moi : C'est une expression. Tu ne la connais pas ?

Tom : Non.

Moi : Je suis coincée entre deux parties qui ne pensent qu'à faire la guerre.

Moi : Louba et Yanie n'arrêtent pas de se disputer.

Tom : Ah ! Ça ? Ce n'est pas nouveau !

Moi : Qu'est-ce que tu en sais ? Tu les connais à peine.

Tom : On s'écrit de temps en temps.

Moi : Ah oui ? Depuis quand ?

Tom : Depuis ta fête d'anniversaire. Mais ce n'est pas ça l'important. Je veux savoir comment tu vas ?

Moi : Pas mal. Ma mère prend bien soin de moi.

Tom : Est-ce que je peux faire quelque chose ? Tu veux que je vienne te voir ?

Moi : C'est bon. Je n'ai pas besoin que tu me surveilles vingt-quatre heures sur vingt-quatre.

Tom : Je ne te surveille pas...

Moi : C'est la huitième fois que tu m'écris aujourd'hui. Je vais survivre, tu sais.

Moi : Je ne suis pas la seule fille au monde à perdre un animal de compagnie.

Tom : Je sais. Ça ne veut pas dire que c'est plus facile pour toi.

Moi : On change de sujet, d'accord ?

CHAPITRE 19

Moi : Comment ça s'est passé avec Roméo et Eddy ? Tu as passé la soirée avec eux ?

Tom : Yep !

Moi : Et puis ?

Tom : C'était cool.

Moi : Mais encore ?

Tom : Il n'y a pas grand-chose à ajouter. On a rattrapé le temps perdu, si c'est ce que tu veux savoir.

Moi : Je suis vraiment fière de toi, Thomas.

Moi : Maintenant que je vous ai aidés à réaliser votre rêve, Eddy et toi, on va pouvoir vous en trouver un autre. C'est vraiment motivant !

Tom : Tu ne m'as pas du tout aidé à réaliser mon rêve, Morgane.

Moi : Ah non ?

Tom : Tu as la mémoire courte, on dirait.

Moi : ???

Tom : Te souviens-tu de m'avoir demandé à quoi je rêvais, le soir du party d'Halloween ?

Moi : Ah... Ça... Bien sûr que je m'en souviens.

Tom : Qu'est-ce que j'ai répondu ?

Moi : Tu m'as répondu n'importe quoi, Tom.

Moi : Une fille, ce n'est pas un rêve.

Tom : Excuse-moi, mais tu ne vas pas me dire ce qui est un rêve pour moi.

Tom : Et tu m'as dit qu'on pourrait sortir ensemble si je faisais la paix avec Eddy.

Moi : Ce n'était pas sérieux, voyons.

Moi : J'ai dit ça pour rire.

Moi : On ne peut pas sortir ensemble, toi et moi.

Tom : Pourquoi pas ?

Moi : Parce que tu es mon ami !

Tom : Et si j'ai envie d'être plus que ton ami ?

Bout de luzerne ! On ne va pas recommencer ça ! C'est pourtant clair : Thomas et moi, ça ne peut pas marcher. On passerait notre temps à se crier par la tête. On est trop différents.

EN MÊME TEMPS, TU NE LE SAURAS PAS TANT QUE TU N'AURAS PAS ESSAYÉ !

C'est quoi, cette façon de penser ? Je ne suis pas pour essayer tous les gars de la terre simplement pour voir si ça pourrait coller entre nous !

Tom : J'ai rempli ma part du marché, Morgane.

Moi : Oui, et je te félicite.

Tom : À toi de remplir la tienne. Donne-moi une chance.

Je n'arrive pas à répondre. Une partie de ma tête me dit d'éteindre mon cellulaire au plus vite pour mettre fin à cette conversation qui ne mène à rien, et un coin de mon cœur me rappelle à quel point j'étais bien quand il m'a prise dans ses bras, le soir du party d'Halloween. Qu'est-ce que je fais ?

Tom : C'est quoi, ton rêve le plus fou, à toi ?

Moi : Pourquoi tu me demandes ça ?

Tom : Tu as passé les dernières semaines à essayer de faire plaisir à tout le monde. Tu as insisté pour que je me réconcilie avec Eddy, tu as aidé Anna avec sa chaîne YouTube, tu as essayé de trouver un amoureux à ta mère et tu as même aidé des élèves que tu ne connais pas.

Tom : Et toi, là-dedans ?

Tom : À quoi rêves-tu en secret ?

Tom : C'est à mon tour de t'aider.

Tom : Qu'est-ce qui te ferait plaisir ?

OMG !

Les messages de Thomas me prennent tellement par surprise que je ne sais pas quoi lui répondre. Des rêves, j'en ai plein ! Ce n'est pas ce qui manque et ce n'est pas ce qui m'empêche de lui répondre non plus. Non… Ce qui m'étonne, c'est qu'il prenne le temps de s'intéresser à moi, à ce que je vis. Il a l'habitude d'être tellement centré sur ses propres désirs que je suis bouche bée. Il ne m'a pas habituée à ça…

Serait-il en train de changer ? De gagner en maturité ? De faire preuve d'altruisme ? Comment dois-je réagir à cet abrupt changement d'attitude ? Je lance mon téléphone sur mon lit et j'ouvre mon ordinateur en vitesse. Mes doigts tapent à vive allure sur mon clavier. Je viens d'avoir une idée pour le prochain numéro du *No Name* !

J'écris pendant de longues minutes, satisfaite des mots que tapent mes doigts. Au bout d'un moment, je prends le temps de me relire, puis j'enregistre mon texte, un grand sourire aux lèvres.

Le *No Name !*

Édito

Je veux vous entendre à propos d'un sujet qui touche une grande majorité des élèves de cette école. La vie de couple ! Selon le fondement de la nature humaine, vivre en couple est une chose normale, voire banale. L'équation est simple : un homme + une femme = des enfants. Le but étant bien entendu d'assurer la survie de l'espèce.

Mais si on oublie le côté pratique de la chose, une union basée sur l'amour est censée être une expérience agréable, stimulante, enrichissante. Pourquoi certaines personnes décident-elles de demeurer célibataires, dans ce cas ? Est-ce par choix ? Par principe ? Parce qu'elles attendent de trouver la perle rare ? Parce qu'elles ont peur de s'engager ? Parce qu'elles craignent d'être rejetées ?

Personnellement, j'hésite encore à me lancer et j'ai besoin de vos conseils pour m'aider à prendre une décision éclairée.

Je veux vous entendre! Racontez-moi vos anecdotes les plus croustillantes, les plus décevantes, les plus désastreuses. Quels sont les avantages à vivre en couple? Quels sont les points positifs du célibat? Comment ça se passe, chez vous?

L'ensemble des témoignages que je recevrai sera publié dans le prochain numéro du *No Name*.

Merci!
À bientôt!

C'est parfait! J'éteins mon ordinateur, le cœur battant. Je sais ce qu'il me reste à faire. Est-ce la bonne décision? Je l'ignore. Vais-je le regretter? Probablement. Mais je dois au moins essayer.

Je reprends donc mon cellulaire et tape quelques mots que je m'empresse d'envoyer à Thomas.

Moi: C'est bon. Je sais ce que je veux.

Tom: Quoi?

Moi: Une sortie avec toi. Juste une.

Moi : Après, on verra.

Tom : Oh ! Merci, Morgane !

Tom : Je te garantis que tu ne seras pas déçue ! ❤

Moi : Ça aussi, on verra ! 

Table des matières

Le *No Name !*

Portrait

GENEVIÈVE GUILBAULT, auteure jeunesse

On dit que la nuit porte conseil, mais pour Geneviève, elle est surtout porteuse d'inspiration. Amoureuse des livres, de hockey et de bon thé, cette auteure drummondvilloise vous présente ici sa nouvelle série *Textos et cie.* Elle écrit également dans les séries *BFF*, *Mon BIG à moi* et, chez Boomerang, *Billie Jazz.*

DANS LA MÊME COLLECTION

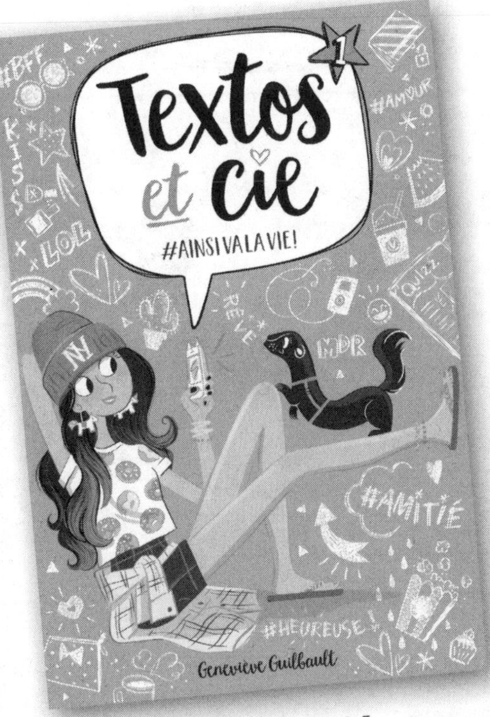

ISBN 978-2-89746-023-5

Hi! Hi!

ISBN 978-2-89746-039-6

Tu as le goût de TOUT SAVOIR à propos des livres de l'auteure?
Tu souhaites participer à de FABULEUX CONCOURS?
Tu as envie D'ÉCRIRE À GENEVIÈVE?
Viens visiter sa page Facebook: GENEVIÈVE GUILBAULT, AUTEURE JEUNESSE.
N'hésite pas à la PARTAGER avec tes amies!
À BIENTÔT!